# 여름의 이름은 추억

**여름의 이름은 추억**

발  행 | 2024년 06월 14일
저  자 | 세윤
펴낸이 | 한건희
펴낸곳 | 주식회사 부크크
출판사등록 | 2014.07.15.(제2014-16호)
주  소 | 서울특별시 금천구 가산디지털1로 119 SK트윈타워 A동 305호
전  화 | 1670-8316
이메일 | info@bookk.co.kr

ISBN | 979-11-410-8978-8

# 여름의 이름은 추억

세윤 지음

# 프롤로그

무언가를 받는 것도, 주는 것도, 서툰 것 투성이기에, 세상은 저를 어두운 사람이라며, 영혼 없는 사람이라며 치부하기 일쑤지만, 청량한 여름 하늘의 따듯함은 있는 그대로 저의 거울이 되어주기도 했습니다. 이제는 세상으로부터 용기를 내어보고자 합니다. 저는 저일 뿐이니까요.

# 차례

## 1 _ 여름 하늘 사용법

사랑의 유효기간

오아시스

똑똑, 당신의 계절에 스며들겠습니다

예류지질공원(野柳地質公園)

안녕하세요, 좋은 아침입니다

행복하기에 충분한 시간

이유 없는 사랑

감정(感情)이의 마음

Cafe

우리는 꽤 가까울지도 모르겠네요

봄이 다가오고 있었지만 마냥 웃을 수 없었다

무형의 사랑

## 2 _ 한 줌의 모래도 추억으로 쏟아져요

말로만 듣던 사랑

하늘마저도 제멋대로인데, 하물며 인간이란

사랑의 퇴화

마지막 염원

아픔을 아픔으로 위로받았다

글자 위로 병마를 덮어봅니다

침묵을 좋아하곤 했어

사라져 가는 그리움

우리가 바라본 세상

우리가 사는 세상

여름방학

도라지무침

울타리

복

이제는 사라진 소중한 것들

츤데레

무엇이든 함께하고 싶은 사람들

우리에게 주어진 무한한 마음

작은 전등

40번 버스

상냥한 하나의 문장

완벽한 내 편

당신과 함께 정처 없이 걷고 싶습니다

우리의 간격

예고 없이 찾아오는 마음

우리에게 밝은 아침이 닿았으면 좋겠어요

빨간날엔 단지 조금 쓸쓸할 뿐입니다

미소

행복이라 말하고, 눈물이 왈칵 쏟아졌습니다

엄마

돌아오지 않는 메아리를 붙잡아 보기도 했습니다

이번 겨울을 잠시나마 조금 느리게 지다가도

괜찮지 않을까 생각했습니다

우리 함께 보폭을 맞춰 걸을 수도 있겠습니다

웃으며 사진 한 장 찍어 보았습니다

함께이기에 불러보는 사랑

우리 함께 불행을 나눠 갖자

꾹꾹 담아내는 말 한마디

가장(家長)

익숙해진 당신들과 함께하고 싶습니다

아름다운 이별

영원히 기억될 수 있는 이별도 있습니다

우리의 끝은 또 다른 시작

여름의 이름은 추억

# 1 _ 여름 하늘 사용법

# /
# 사랑의 종류

어떤 이는 외롭다며 늘 사랑을 갈구하고, 어떤 이는 매번 만나는 이를 불평하며 헤어질 수 없다 말하고, 어떤이는 연인과 함께할 꿈을 꾸며 주변 이들을 재촉하고, 또 어떤 이는 죽음의 문턱에서 가족을 보며 조용히 눈물을 흘리다 생을 마감하기도 합니다. 이렇게 수많은 사랑의 종류 속에서 모든 사랑을 다 잘하며 살 순 없듯, 저조차도 아직 방황 중인 사랑이 있습니다. 그러기에 저는애써 붙잡아야지 가능한 사랑보다 저마다 나답게 잘할수 있는 사랑 속에서 행복을 찾고자 오늘도 사랑하는 가까운 이들에게 안부 인사를 건네곤 합니다. 흔히 하는 "밥은 먹었니?"부터 해서 두런두런 이야기를 건네다 보면 종종 한동안 끙끙거리며 속으로 묵혀왔던 이야기를 건네 받곤 합니다. 시작은 그저 밥 한마디였지만, 그날 그 한마디가 누군가에게는 깊어지는 검은 밤을 함께 보낼 수 있는 등대 같은 기적의 단어가 되어있을지도 모르 겠습니다. 그래요, 우리는 나답게 사랑을 표현하며 살고 있습니다.

# 우리는 사계절을 느낄 수 있겠습니다

봄, 여름, 가을 그리고 아직 찾아오지 않았으면 하는 겨울이 찾아왔습니다. 남들보다 추위를 유독 많이 타는 저는 겨울은 그저 추운 계절이라며 이따금 외면해 오기가 일쑤였습니다. 가령 추위에 방안 곳곳을 짙은 회색 커튼으로 둘러놓은 탓에 겨울의 아침은 저에게 경계대상이었으며, 나무 가지가지에서 바람 세는 소리는 추위에 묻힌 채 허연 입김만을 바라보며 경보하기 바빴기에, 조급함은 제게 늘 오래 머물러 있었습니다. 저는 빨리 이 고독이 지나가길 바라며 늘 겨울을 지내왔습니다. 하지만 매번 겨울은 찾아오고 그런 겨울을 혼자의 힘으로는 막을 방도가 없어 외면해 왔던 것들을 보기 시작했습니다. 이상하게도 이번 겨울은 버틸 만합니다. 단지 외면한 것들을 들여다보기만 했을 뿐인데 말입니다. 그동안 외면해 온 겨울에게, 미안하다며 인사를 건네어 보았습니다. 그런 겨울은 추위에 단단해지는 법을 가르쳐 주었고요, 저는 비로소 모든 계절을 사랑하는 법을 배우는 중입니다.

# 우리 함께 봄을 기다려요

시간이 그대로 멈춘 듯한 고드름의 계절.

그와 헤어지고 잠시 시간이 멈춘 듯했습니다. 그를 보러 가는 길 평소라면 검은 시트로 가득 찬 차 안에는 빛을 머금은 노래로 가득했을 텐데, 그날은 검은 시트만이 머물러 적막하기 그지없었습니다. 바깥세상의 추위와 다르게 초초한 땀을 흘리며 제가 할 수 있는 거라곤 달리는 것밖에 없습니다. 고드름도 이듬해 봄이 되면 낙수가 되어 그 속에서 꽃을 피우듯, 새로운 봄을 기다립니다.

# 봄동

어느덧 봄동의 계절 끝자락에 다다른 3월 중순이었다. 봄과 함께 마트 곳곳에서는 봄동의 내음이 몰려왔다. 이 무렵 밥상에 놓여있는 파릇한 봄동을 보기만 해도 설렘이 가득하다. 조촐한 몇 없는 반찬만 있을지라도 말이다. 향긋한 향기와 어우러져 아삭하고도 단물이 나오는 봄동을 향한 마음은 설렘으로 가득 담겨 있다. 그런 봄동을 보고 있자니 어느 한 카페에서 설렘이 넘실대던 두 남녀가 떠올랐다. 때는 잠시 시간이 남아 지나는 길에 보이던 카페에 책을 읽으러 들어간 적이 있을 때였다. 얼마쯤 책을 읽고 있었을까, 옆 테이블에는 어떤 남녀 두 사람이 앉았다.

그들의 대화, 그들 사이에서 맴도는 약간의 긴장감과 설렘은 옆 테이블에 있는 나에게까지 흘러 왔다. 남자가 운을 띄었다.

"너랑 친해질 수 있는 기회라 생각했는데… 네가 미국 가는 바람에…."
"호호, 그러게 너 나 남자친구 없는 거 알아?"
"그니까…! 그거 물어보려 했어."
"있으면 이 자리에 나오면 안 되는 거 아냐? 나 헤어졌어."
"진짜 하하."

두 남녀의 미묘하면서도 새로운 시작을 알리는 대화였으며, 봄동의 향기를 타고 두 남녀는 어떻게 발전했을까 괜스레 궁금해져 간질간질한 봄이었다.

# 노력이라는 비가 내려 사랑의 꽃을 피웠다

마냥 행복하지만은 않았던 학창 시절. 그런 나에게 걷는 것은 유일한 탈출구였다. 눈이 오나 비가 오나 남들이 버스 탈 시간에 나는 개의치 않고 걸어서 학교를 갔다. 그러다 보니 자연스레 파란 하늘과 친해졌고, 하늘과 대화하는 시간도 점차 늘어났다. 조건 없이 모든 것을 받아주는 하늘은 내가 걷는 속도까지 맞춰주었다. 덕분에 오가며 하늘 아래 살아가는 우리들의 많은 "사랑"을 보았다. 많은 사람들 중, 어린아이가 엄마한테 구름이 뭉고기 같다며 이야기하는 모습에서 아이의 동심을 지키려는 노력을 보았다. 어느 노부부가 함께 걸어가는 모습에서 혹여 어디가 불편하진 않을까 살피는 노력이 있었으며,

어느 연인이 푸른 하늘 아래 오순도순 이야기하는 모습에서 서로에게 좋은 말을 하려는 노력이 보였다. 겉보기에 완벽해 보이는 사랑은 서로의 노력 아래 빛나, 내일의 또 다른 해돋이를 준비하고 있었다.

# 또 다른 사랑의 이름은
# 고구마맛 두유

윗집 할머니는 빌라 앞 골목길에 있는 들마루에 앉아 다른 할머니들과 두런두런 이야기를 하신다. 그런 할머니는 나를 볼 때면 고구마맛 두유를 주신다. 요즘 젊은이들은 단 걸 좋아할 텐데, 이것은 그리 달지 않다는 말씀을 하시지만 그럼에도 불구하고 건강에 좋으니 잇따라 마시고 가라는 손짓을 하신다.

큰 가방을 메고 다닐 때면 잠시 쉬었다 가라며, 한가로운 낮시간엔 간식이라며, 초저녁이 다가올 때면 배고플 거라며, 손녀딸 같다며. 이쯤 되면 나를 위해 쟁여두시는 게 아닌가 싶을 정도로 매번 이유는 바뀐다.

할머니는 나를 바라보며 미소를 보인다. 그런 미소에도

여러 가지의 것들이 새어 나온다. 사계절 내내 변함없이 포근한 미소는 비가 오나 눈이 오나 언제나 길목을 밝혀 준다. 대견하다며 지어 보이시는 미소, 잘살고 있다며 괜찮다는 미소, 조급해할 필요 하나도 없다며 여유를 보이시는 미소, 오늘도 어김없이 고구마맛 두유를 손에 쥐어 주며 미소를 지으신다. 이 모습을 통해 또 다른 사랑을 배워가고 있는 나였다.

# 손 인사

이른 아침 복도에서 마주친 옆집 할아버지는 아침마다 집 앞으로 배달 오는 우유를 꺼내곤 하셨다. 그런 할아버지는 손을 흔들며 아침 인사를 해주신다. 어느 순간부터 거동이 불편해 보이시는 게 눈에 보이곤 하셨지만 손 인사를 잊지 않고 해주시며 미소를 보이는 할아버지다. 아침 일찍 출근길에 저 멀리 보이는 우리 할머니. 이른 새벽부터 부지런히 동네 주변을 산책 중이셨다. 그런 할머니는 잘 다녀오라며 손을 흔들어 주신다. 다만 이전에는 무리 없이 산책을 하셨다면, 지금은 갈색 지팡이를 짚으시며, 예전보단 느린 종종걸음을 하고 계신 할머니 또한 손 인사는 절대 빼먹지 않으신다. 그런 당신들의 손 인사는 나도 누군가에게 충분히 가치 있는 존재라는 것을 알려주듯, 무엇이든 잘 될 것만 같은 느낌이 들곤 한다. 그저 말 한마디 없는 손 인사에는 여러 의미들이 묻어 나오곤 했는데, 가령 오늘도 별 탈 없이 무사히 다녀오너라, 다녀와서 내일도 모레도 같은 자리에서 또 보자, 오늘 하루도 응원한다 등.

유독 하루하루가 빠르게 흘러가는 당신들의 세상에서 할 수 있는 최고의 표현이 아니었을까 하며 나는 입안 한가 득 초승달을 담아 웃음을 지어본다. 오늘도 어김없이 아침 햇살은 우리를 비추고 있었으며, 같은 자리에서 당신 들의 손 인사를 받으며 시작되는 하루는 웃음으로 가득 했다.

# 응: 최고의 표현

친구에게 커피를 사줬을 때, 친구는 매우 신이 나서 고마움을 하이텐션으로 전달해 주었다. 사실 나는 짧은 몇 초 동안 고마움의 하이텐션을 어떻게 회답해야 할지 모르겠기에 고개를 끄덕이며 "응"이라 답했다. 당황스러웠던 그 순간, 내가 할 수 있는 최고의 표현이었다. 그러나, 친구는 오히려 더 당황해하며 "세윤아, 내가 이렇게 고맙다고 표현했는데, 너는 뭔가 고마움을 받은 건지 아니면 네가 기분이 안 좋은 건지 상대방이 오해할 수도 있을 것 같아"라며 "응"에 대한 답변이 돌아왔다. 나는 속으로 친구가 솔직하게 말해줘서 고마웠다. 그래서 나만의 방식으로 솔직하게 예우를 다해 표현했다. "기분 나쁘게 아니고 이게 나의 최고의 표현이야..." 친구는 그러나며 호탕한 웃음을 보였다.

# 우리는 혼자서도 감미롭기에

혼자 식당 가기, 혼자 영화 보기, 혼자 여행 가기, 등 나는 혼자 하는 것을 크게 거리낌 없이 잘하는 편이다. 동창 모임 중 친구들과 만남에서 혼자 할 수 있는 것에 대한 주제가 오고 갔다. 누군가는 어떻게 혼자 영화를 보고, 밥을 먹고, 여행을 갈 수 있냐며 이해되지 않는다는 표정으로 나를 응시했으며, 그들이 하지 못하는 이유는 다양했다. 사람들의 눈치가 보여서, 혼자는 외로워서, 재미가 없어서 등. 개인마다 다르겠지만, 적어도 나는 혼자 무언갈 하며 보낸다는 것은 누군가의 구애를 받지 않고 나에게 주어지는 순수한 시간이라 여긴다. 이러한 순수한 시간들을 보낼 때면 평소 이리저리 치여 숨어있던 오감 역시도 바깥 구경을 하곤 한다. 가령 마른 나뭇잎들이 서로를 의지하며 바슬바슬 내는 소리, 이곳저곳 발빠르게 움직이며 여러 모양을 만들어내는 구름, 카페에서 느낄 수 있는 코끝까지 아려오는 찻잎 향기 등은 세상 무엇보다 얼마나 감미롭게 다가오는지 모른다.

그럼에도 불구하고 내가 아직까지 혼자 해봐야겠다고 생각조차 하지 못한 것이 있었다. 해가 저문 저녁 시간 친구와 어느 고깃집에서 있었던 일이다. 한참을 즐기며 이야기하던 도중 은색 리본 모양의 머리핀으로 멋을 내신 중년 여성분이 식당 안으로 들어오셨다. 사장님은 몇 명이냐며 물어보았고, 여성은 당차게 "한 명이요!"라며 말했다. 사장님은 조금 난감해하시며 2인분부터 가능하다고 하셨지만, 그녀는 아랑곳하지 않고 "2인분 먹으면 되겠네!" 하시곤 이내 자리에 앉았다. 그리곤 자신만의 시간을 음미하고 있었다. 타닥타닥 구워지는 고기, 공기그릇에 부딪히는 식기류 소리, 그녀의 아주 만족스럽다는 표정. 모든 것이 감미롭게 다가왔으며, 그런 그녀를 향해 자연스레 눈길이 머물렀다. 한 발자국 더 내디뎌 보면 감미로운 것들이 몰려오는 세상이었다.

# 선물 받은 하루

당신과 약속이 있을 때면 당신은 내가 있는 곳까지 종종 데리러 오거나, 데려다주곤 한다. 이날도 마찬가지로 당신은 우리 동네로 데리러 왔다. 오늘은 데려다주지 못할 것 같다며 저녁을 사준다는 당신이었다. 쏟아지는 감수성을 머금은 당신은 "세윤아, 저거 봐 너무 예쁘지"라는 말을 자주 하곤 하는데, 그럴 때면 그저 지나가는 풍경도 아름다워지는 기적을 만들어 낸다.

이날도 그랬다. 함께 저녁을 먹고, 당신이 운전하는 차를 타고 한강 주변 대교를 달리고 있을 때였다. 높은 건물의 칸칸마다 불빛들은 매달려 있었다. 나는 아주 잔잔하게 그런 야경을 구경하고 있었다. 그때 당신은 "어머, 여기 무슨 대교지? 야경 너무 예쁘다. 세윤아, 이런 멋진 야경을 볼 수 있게 해 줘서 고마워"라며 소리쳤다. 그제야 불빛 한 올 한 올이 한강 물 아래로 떨어지는 모습들이 보이곤 했다. 하루 종일 당신에게 받기만 나인데, 그런 나에게 당신이 해준 표현은 시계의 초침이 멎은 듯, 남들보다 하루의 시간을 더 선물 받은 기분이 들었다. 당신과의 하루를 글로 세어놓는 것은 잔잔한 나에게 최고의 표현이었다.

# 사라지는 시절

이사를 가기 위해 자주 손이 닿지 않던 창고 안을 정리하던 중 태산 같던 당신의 그림자를 따라다니던 시절을 발견했습니다. 당신의 발자국 하나하나를 놓치고 싶지 않아, 복사하듯 한 발 한 발 거닐던 시절이 그려져 있었습니다.

오랜만에 서점을 향했습니다. 서점에는 한 올 한 올 가벼운 종잇장을 휘날리는 새 책의 내음이 묻어났습니다. 저는 자꾸만 그것에게 코를 가까이 대기 일쑤였습니다. 서점 안의 향기에 홀린 듯 책을 구매하여 집으로 돌아왔습니다. 그러나 며칠 사이 새것의 내음은 삽시간에 공중 속으로 희미해져 갔습니다. 그와 동시에 코를 대는 일도,

내음을 따라 기분이 올라가는 일도 줄어들었기에 빛이 들지 않는 책장 맨 위로 그것을 꽂아두곤 했습니다. 잠시 잊고 지낸 새 책은 오랜 세월에 의해 푹-가라앉은 듯 묵직한 내음들로 가득 차 있었습니다. 그제야 다시금 꺼내 보는 책이었지만, 눅눅해진 종이 사이사이로 책의 검은 잉크는 울긋불긋 울어있어 원래의 형태를 알아볼 수 없었습니다.

당신과 함께 거닐던 시절을 떠올렸을 때 역시 오랫동안 빛바래 있던 시절 곳곳에는 흰 수정액이 튄 듯 희미해져 당신의 미소조차 기억나지 않는 희끗한 밤이었습니다.

# 오래된 나의 연인

오래된 나의 연인, 너와 처음 만났을 땐 많은 것이 비슷할 거란 단순한 생각은 큰 착각이었다. 서로 좋아하는 영화 장르, 가고 싶은 장소, 등등 모든 것이 선명하게 우리를 비껴갔다. 그리하여 우리는 매번 서로 다른 점들을 새롭게 발견하고 있었다. 그럴 때마다 너나 나나 할 것 없이 네가 좋아하는 장르의 영화가 개봉했다며 함께 보러 간다거나, 네가 가고 싶은 여행지를 계획해 보며 우리는 서로의 티 없는 모습을 투명한 눈으로 바라보고 있었다. 그런 한 해 한 해의 시간이 쌓인 38도를 넘나드는 어느 무더운 여름날이었다. 너는 불그스름해진 팔과 땀으로 잔뜩 가라앉은 머리를 하곤 우리집 초인종을 누른 적이 있다. 나는 동글해진 검은 눈동자를 뒤로하며 무슨 일이냐며 물어보았고, 너는 한 베이커리 가게에서 한정

판 녹차 케이크를 한나절 동안 일시적으로 판매했기에 다녀왔다는 말과 함께 흐르는 땀의 흔적을 지우고 있었다. 유독 땀이 많아 봄 날씨에도 옷이 마를 날이 없는 너였지만 그럼에도 너는 들끓는 태양 위로 거리를 나섰고, 몇 번이고 우수수 떨어지는 땀방울을 닦아내며 걷고 걷다 휴지를 꺼내 닦아내었을 것이다. 이것은 너의 진한 갈색 피부에 하얀 것이 제 몸처럼 조각조각 붙어있는 것을 보며 알 수 있었다. 평소 녹차는 씁쓸하다며 가까이 하지 않는 네가 그럼에도 불구하고 끝끝내 녹차 케이크를 구매한 일념 하나는 오르지 나를 위한 행동이었을 것이다. 이런 우리가 오랫동안 만날 수 있었던 것은 설렘도, 뜨거움도 아닌 서로를 위하는 순수한 마음, 편안한 마음이 아니었을까 생각해 보았다. 노을이 뉘엿뉘엿 저물어갔지만 여전히 뜨거운 여름은 우리의 초심을 지키기에 충분한 계절이었다.

# 사랑의 유효기간

어떤 한 프로그램에서 사랑에 대한 주제를 다룬 이야기가 흘러나오고 있었다. 내용은 이러했다.

서로의 애칭을 부르는 이들은 몇 명이나 될까. 손을 들어보라 하였지만, 보아하니 몇 없는 듯했다. 우리는 어떤 기준으로 상대를 선택할까. 듣자 하니 외적인 모습, 안정적인 수입, 어느 정도의 자산 등을 가지고 기준의 잣대로 삼는다는 것이었다. 모두 맞는 말이었다. 주변 이들만해도 그랬으니까. 한 친구는 음료를 마시러 카페에 갔다. 그곳에서 일하는 아르바이트생이 본인의 이상형이라며 어떻게 고백을 해야 할지, 무슨 말부터 시작해야 할지, 몇 날 며칠을 끙끙 앓았던 친구다. 며칠의 고민 끝에 친구의 용기로 인해 그 둘은 연인으로 발전하였지만, 그

유효기간은 그리 오래가지 않는 듯하였다. 처음엔 상대에게 모든 것을 맞춰주고, 무엇이든 해주었지만 점차 시간이 지나면서 외적 모습으로 가려졌던 서로의 다른 점이 보이기 시작하였다며 불평을 늘어놓곤 하였다. 또 다른 친구의 연인은 안정적인 직장과 상대 부모님께서 어느 정도의 재력을 갖추고 계시다며 늘 입이 닳도록 말하였다. 그러나 이것 역시 오래가지 못하는 듯하였다. 이들역시 안정적인 삶과 재력 뒤로 감춰져 미처 보지 못한 각기 서로의 다른 점 들이 수면 위로 올라오고 있었다.

누구나 각자가 원하는 상이 있지만 서로가 맞지 않을 때, 그럼에도 불구하고 사랑은 그때 확인하는 거라며 강연자는 말을 이어갔다. 나는 약간의 기대감을 가지고 그들의 사랑을 바라보았지만, 끝내 서로의 다른 점을 바라보지 못한 채 멀어져 가는 그들이었다.

그럼에도 불구하고 사랑을 지켜내는 많은 이들도 있겠으나, 사랑을 보라 보지 못한 채 멀어져만 가는 사람들도 있었다.

# 오아시스

이모는 나의 대학 시절 사진을 보며 이때의 표정은 지금까지의 모습 중 가장 티 없이 밝다고 말했습니다.
표정은 이래저래 해도 숨길 수 없나 봅니다. 모든 학창 시절을 통틀어 가장 웃음이 많았던 시간이었으니까요.

저는 평소 연보라 물통에 물을 가득 넣어 다닙니다. 그럴 때마다 투명한 연보라 사이로 넘실거리는 미네랄이 보이곤 합니다. 그것은 하늘에서 빼곡히 떠다니는 별들을 연상시켜 줍니다. 마치 그때처럼요, 지방에 있는 대학을 다녔습니다. 수진이는 오늘 밤 별똥별이 떨어진다는 소식을 들었다며, 같이 보러 가지는 말을 했습니다. 어른들께 별똥별을 볼 수 있는 장소를 얼핏 들은 적이 있다면서 말입니다.

그렇게 우리의 모험이 시작되었습니다. 가로등 하나 없는 검은 밤 속에서 희미한 말을 따라 어느 산길에 다 달았습니다. 그러나 우리를 기다리고 있는 것은 스산하고도 우거진 대나무 숲이었습니다. 더 이상 길도 보이지 않았습니다. 영화에서 보면 꼭 이런 장소에서 사건이 터지곤 하기에, 우리는 온갖 소리를 지르며 줄행랑을 쳤습니다. 얼마나 헤매었을까, 비로소 또 다른 산길을 찾았습니다. 그 끝은 바로 우리가 찾던 장소였습니다. 검정투성이였던 하늘은 어느새 별들로 빼곡히 차 있었으며, 이곳은 안전하다는 신호를 보내왔습니다. 한시름 덜어내고 누워서 본 셀 수 없는 별들은 즐거움이 가득 담겨 있는 우리의 모습을 담아내고 있었습니다. 그리고 마침내 별들 사이로 우수수 떨어지는 별똥별을 보았습니다. 참으로 밝은 밤이었습니다. 우리는 그 뒤로 자주 그곳에 들렀습니다. 그곳은 마냥 해맑게 웃는 어린아이가 될 수 있었습니다.

# 똑똑, 당신의 계절에 스며들겠습니다

몇 번을 가도 질리지 않는 나라가 있다. 그곳은 바로 대만이었다. 아직 여름에 익숙하지 않은 그에게 내가 좋아하는 여름의 계절을 소개해 주기 위해 함께 대만으로 향했다. 뭐든지 처음은 낯선 법이지만 그는 이곳에서 더위를 자연스레 흘려보내며 장난 가득한 표정을 짓기도 하고, 그해 유난히 뜨거웠던 날씨 속에서 함께 김이 나는 음식을 나눠 먹었을 땐 이것이 진정한 이열치열이라며 웃음이 터지기도 했다. 그런 그가 이번엔 나에게 아직 많이 알려지지 않은 펑후라는 섬을 소개해 주었다. 그곳에 우육면을 파는 노포 음식점이 있었는데, 겉은 소박하기 그지없는 건물이었지만, 맛은 최고였다. 그해 여름, 노포 음식점과 함께 잊지 못할 여름을 보냈다. 시간이 지나 겨울이 되었는데도 그때의 여름은 여전히 내게 찬

란하고 뜨거워 종종 다시 꺼내 보고 싶다.

# 예류지질공원(野柳地質公園)

어린 시절엔 가족끼리 웃으며 저녁 식사하는 것이 부러워 보였다. 누군가에게는 뻔한 일상이 누군가에게는 소원이 되기도 했다.

우리는 뻔하다는 이유로, 당연하다는 이유로 가장 가까워야 하는 이들에게 사랑을 침묵하기도 한다. 침묵 된 사랑 위로 단단한 바위가 자리 잡아 그 길들여진 바위 속에서 사랑 표현이 낯간지럽다며, 어려운 일이라 말하기도 한다.

어느 여름날, 예류지질공원이라는 유명 관광지에 다녀온 적이 있다. 그곳에서 모든 것엔 당연함이 없다는 것을 자연의 위대함 통해 다시 한번 발견했다.

보통 단단한 바위는 당연시 여겨 스쳐 지나가는 경우도 있지만, 이곳의 바위는 오랜 풍화작용으로 인해 푸른 바다와 함께 자연의 경이로움을 만들어낸 곳이라 한다. 누가 알았겠는가, 돌덩이도 관광지가 될 수 있다는 것을.

그러니 당신의 바위도 오래 두고 가꿔주었으면 한다. 이것은 당신만이 할 수 있는 일이니까.

# 안녕하세요, 좋은 아침입니다

한 번은 늦잠을 자는 바람에 부랴부랴 택시를 타고 출근한 적이 있다. 택시에 타자마자 기사님께선 "안녕하세요 좋은 아침입니다"라는 인사를 건네주셨다. 기사님의 한 마디 인사에 조급했던 마음은 조금 가라앉은 듯했다. 어떤 날은 침묵을 이어가는 기사님도 계시지만, 이날은 기사님의 많은 이야기를 들을 수 있었다. 평소 이른 아침, 보통이라면 짓기 어려운 밝은 미소를 갖고 계신 기사님의 표정은 눈에 띄게 선명했다. 무엇이 기사님을 이리 좋게 만든 것일까, 궁금했던 나는 "기사님의 미소는 참 밝으시네요"라는 말을 전했다.

기사님께서는 처음부터 밝은 것은 아니었다며, "사실 이전에는요, 손님분들께 먼저 말도 안 걸고, 무표정으로 침

묵하기 일쑤였어요, 조금은 불친절하게 느꼈을 수도 있
겠네요, 하하"

  그러던 어느 여름날 여느 때와 같이 택시를 몰던 중 화
려한 한복을 입은 젊은 청년이 택시를 탔다고 한다. 기
사님은 이 더운 여름날 긴 한복을 입은 청년이 궁금하신
나머지 어딜 가시는데 화려한 한복 차림새냐며 물었다고
한다. 젊은 청년은 누구보다 밝게 웃으며 "저는 웃음치
료사입니다, 그런데 코로나로 인해 오늘이 마지막 강연
이 될 것 같네요."라고 말했지만, 마지막 강연이라는 것
치고는 청년의 표정은 티 없이 밝았다고 한다.
"저는 조금만 힘든 일이 생기면 표정부터 일그러지는데,
젊은 분이 대단하십니다."
"당분간 강연이 어려울 뿐이지, 이것으로 인해 좌절하진
않으려고요, 도움이 필요하신 분들께 저의 웃음을 나눠
주는 것이니까요, 웃음은 나눌수록 커지는 법이거든요,
기사님께도 나눠드릴게요."
젊은 청년과의 짧은 만남 뒤로 기사님은 스스로의 모습

을 돌아보게 되셨다고 한다. 덕분에 저녁마다 삭막하기에 그지없던 가족 간의 관계도, 침묵이 일상이었던 손님들과의 관계에서도 먼저 밝게 다가가니 기적처럼 웃을 일이 많아졌다고 하셨다.

큰 변화가 있다면, 밝은 인사말만큼은 누구에게든지 꼭하게 되었다며, 청년의 뜻을 담아 웃음을 전달하고 싶다는 기사님은 마지막까지 밝은 미소를 지으시며 "행복한 하루 보내세요"라는 인사말과 함께 기사님은 다시 도로 위 미소를 전달하기 위한 여정을 떠나셨다.

# 행복하기에 충분한 시간

나에게 웃음을 가르쳐준 그녀가 말했다. 아침에 일어나 당신과 소보루빵에 커피 한잔 마시며 잔잔한 대화가 오고 갈 때 그렇게 행복할 수가 없다며.

오랜만에 차 안 조수석에서 바깥 풍경을 바라보았다. 뭉실뭉실 포개져 있는 구름들, 티 없이 맑은 빛, 그런 구름들은 차 안에 있는 우리를 폭 안겨 감싸왔다. 서로 어떠한 말을 하지 않아도 불편하나 없이 포근했던 시간들. 이 모든 것을 오래 간직하고 싶어 사진으로 담아내 본다. 그땐 그저 예뻤던 구름들, 맑은 날씨 정도로만 생각했지만, 문득 그녀가 말한 행복이 떠올랐다. 잠깐의 시간이었지만, 나 또한 그녀가 말한 행복을 느끼고 있었다.

이런 행복이 유지되었으면 좋겠다는 건 나의 욕심일까.

# 이유 없는 사랑

왜 뜻대로 되지 않는 날 있잖아요, 오늘은 그런 날이었
습니다. 비가 온다는 일기예보를 보고 우산을 챙겨 출근
길에 나섰습니다. 창밖에선 폭우가 쏟아지고 있었고, 알
고 보니 챙겨 나온 우산은 고장 난 것이었습니다. 덕분
에 쏟아붙이는 폭우를 당해낼 재간이 없어 물에 젖은 생
쥐 꼴이 되었습니다. 며칠 뒤 다가올 친구의 생일을 위
해 친구의 미소를 그리며 그가 좋아하는 브랜드의 신발
한 켤레를 주문했으나, 상대측 업체와 연락이 닿지 않았
습니다. 이도 저도 손쓸 방법이 없어 결국 친구의 미소
는 얼룩덜룩해져 폭우와 함께 사라졌고요, 애석하게도
상상만으로 남겨둬야 할 선물이 되었습니다. 일과를 마
무리하고 노을이 뉘엿뉘엿해질 때쯤엔 비는 그쳤으나 오

늘의 여파는 여전히 폭우처럼 몰아치고 있었습니다. 그
덕에 땅을 보며 터벅터벅 길을 걷고 있었고요.

무지개가 떴다는 당신의 전화 한 통을 받았습니다. 그제
야 새초롬하게 붉어진 노을을, 그 위로 떠 있는 무지개
를 보았습니다. 이어폰에선 beautiful이라는 노래가 맴돌
고 있었고요. 나는 당신에게 오늘 있었던 일을 털어놓았
습니다. 마치 어린아이가 된 듯 꼬치꼬치 상황을 재연하
면서 말입니다. 실제로 내 나이가 아무리 채워져도 당신
에게만큼은 어린아이라는 말을 자주 듣곤 했는데, It's a
beautiful life 난 너의 곁에 있을게 It's a beautiful life
너의 뒤에 서 있을게 노래 가사처럼, 무지개에 다른 색
을 첨가하는 일은 무의미하다는 셰익스피어의 말처럼,
어린아이가 되어있는 저를 구김 없이 바라봐주는 당신이
었습니다. 어느덧 내 마음속에도 폭우는 지나가고, 무지
개 한 쌍이 피어있었습니다.

# 감정(感情)이의 마음

갓 사회에 진출했을 때 제 나름 값을 치러 저를 위해 사준 에어팟이 있습니다. 이 친구와 동고동락 한지도 벌써 5년째입니다. 그렇다 보니 몇 곡 듣지도 않았는데 배터리가 방전되는 일이 잦아졌습니다. 그리곤 버티고 버티다 더 이상 충전이 되지 않는 상황까지 온 것이죠.

그 작디작은 기계의 수명은 여기까지인가 봅니다. 제 할당량을 다 했다며 가차 없이 영원한 파업을 선언한 에어팟이었습니다.

마찬가지로 저도 한 분야에서 일한 지도 언 5년이 되었습니다. 그렇다 보니 업무에 조금은 익숙해졌다고 할 수도 있겠습니다. 반복되는 일상생활과 업무, 특히 사람 관계에서 번아웃이 찾아왔을 때 우리가 만약 기계라 가정

한다면, 제 에어팟처럼 온오프를 정할 수 있겠습니다만, 현실은 기계가 아닌 감정이란 것을 지닌 사람이더라고요.

감정이란 참 웃긴 녀석이에요. 오늘만 해도 직장 내에서 싸움이 일어나 어른이란 것을 잊은 듯 아이처럼 울음이 터진 직원도, 스스로 자처해 맡은 업무임에도 불구하고 짜증부터 내는 직원도 있었습니다.

그렇게 답답한 나머지 점심시간에는 근처 아파트 단지에서 산책을 했습니다. 나무들은 이미 초록 자태를 뽐내며 풍성한 여름을 준비하고 있었습니다. 바람에 부딪혀 어디선가 들려오는 새소리는 웃음을 몰고 왔고요, 몇 발자국 사이에는 또 다른 감정들이 기다렸다는 듯 한 아름 떨어졌습니다.

# Cafe

주말이 다가왔다. 민정이는 물었다.

"내일 카페 갈 거야?"

"잘 모르겠어, 갈만한 곳이 없어.

집에서 공부하는 게 좋겠어."

"찾아보지도 않고 무슨"

이것은 민정이와 나눈 대화 내용이다.


늦은 저녁, 민정이는 내일 같이 카페에 가자 말했다. 내가 흔히 생각하는 카페는 아무리 조용하더라도 주변에서 들려오는 작은 잡음들, 그 사이로 들려오는 잔잔한 음악소리, 그 위로 커피머신소리 등등

잠시동안은 무언가에 집중할 수 있지만, 이내 시선이 분

산되어 다른 이들은 무엇을 하나 궁금해지기도 하는 곳이었다.

그렇기에 오랜만에 기분전환도 할 겸 민정이와 함께 카페에 갔다. 북카페라고 불리는 이곳은 흔히 내가 생각하는 카페가 아니었다. 문을 열자마자 은은한 한방 향기 같은 것이 고요함을 감싸고 있었으며, 벽면에는 가지런히 나열되어 있는 여러 종류의 책 속에서 사람들은 각자의 작업에 몰두하기 여념이 없었다. 희미한 음악 소리는 사람들의 각자 작업을 존중해 주고 있었기에, 우리 역시 덩달아 고요한 향을 따라 자리를 잡고 주문을 했다. 주문을 받은 사장님이 내리는 커피머신소리는 깜짝 놀랄 정도로 조용했다.

세상에, 이런 카페가 있었다니, 그동안 나는 카페라는 곳을 찾아보지도 않고 혼자만의 생각으로 정의 내린 것이었다. 아직 동네 곳곳에서 발견하지 못한 것들이 이렇게나 많았다며 말이다. 이런 내 무음의 감탄사를 슬그머니

바라봐주는 네 가지런한 눈웃음은 따뜻한 커피 온도와
함께 우리의 시간을 지키고 있었다.

# 우리는 꽤 가까울지도 모르겠네요

한겨울, 수족냉증이 있음에도 여름 운동화를 신고 걷고 싶을 때가 있다. 발등으로 동네의 모든 한파를 느끼며 걸어갈 때쯤 풍성하게 뻗어있는 초록잎 소나무를 발견했다. 심야 시각이지만 초록잎은 어찌나 밝던지 그 잎이 발등에 닿을 때쯤 어느샌가 발등에 온기가 느껴져 그제야 주위를 살핀다. 한 번쯤 살아보고 싶은 집들을 보며 다시금 힘을 내자며 정처 없이 걸었다. 오래된 핸드폰의 배터리는 무서운 속도로 닳아 없어졌지만 상관없다. 오늘은 그저 오래 걷고 싶으니까.

하지만 아이러니하게 차가워 굳어진 턱을 매만지며 걷다 보니 얼마 못 가 아무 일 없다는 듯 익숙한 동네로 다시 돌아왔다. 익숙한 곳에서 같은 패딩을 입고 걷는 어떤 이를 보았다. 그는 술 내음도 나지 않고, 운동복 차림도 아닌 것을 보아하니 어쩌면 나만 잠 못 이루는 밤이 아니겠구나 하며 조금의 위안을 얻은 채 아무 일 없다는 듯 조금은 밝아질 내일을 준비한다. 정작 먼 곳에서 무언갈 얻고 싶었지만, 결국 돌고 돌아 익숙한 곳에서 위안을 얻었다.

# 봄이 다가오고 있었지만 마냥 웃을 수 없었다

얇은 가지에 걸쳐있는 메마른 솔방울은 위태위태 흔들렸고, 젓가락처럼 뻗어있는 가지 위로 노란 홀씨들이 모여 꽃을 만들고 있었다. 모두 금방이라도 떠나갈 듯 애처롭게 매달려 있었다.

봄이 다가오고 있었지만 마냥 웃을 수 없었다. 그 사람을 지극히 일방적으로 바라보던 그때처럼 말이다. 우리 함께 같은 곳을 바라보지 못한다면 그 관계는 언제 떠나간다 해도 전혀 이상하지 않은, 그것은 어쩌면 당연한 일이었다. 우리 같은 공간에 있었지만, 네 어느 것 하나 만질 수도 가질 수도 없었다. 그저 다른 곳을 바라보는 네 모습을 남몰래 훔쳐보며 눈으로나마 붙잡는 것이 전부였으니 말이다. 가지 위에 여럿 맺혀있는 노란 홀씨의 꽃, 어떻게든 붙잡아 보겠다며 가지 끝자락에서 겨우 걸쳐있는 메마른 하나의 솔방울. 나와 어딘가 닮아있는 구석이 보이곤 했다.

# 무형의 사랑

가끔은 네가 나보다 나를 더 잘 아는 것 같아. 너는 편의점을 갈 때면 매번 내가 좋아하는 녹차 아이스크림을 아무 말 없이 사 오곤 했지. 나의 감정이 주체가 되지 않을 땐, 옆에서 묵묵하게 순간의 감정에 의해 하지 않아도 될 말을 지켜주었어. 네가 나에게 했던 말 기억나? 내가 좋아하는 콘서트를 보러 가자 했을 때 별말 없이 따라온 이유는 네게 받은 따뜻한 마음을 고마움으로 전달해 주고 싶어서라고 말했잖아. 그리고 너는 또 아무 말 없이 콘서트를 보았었지. 우리는 그렇게 눈으로 보이지 않는 마음을 표현한 거였어.

어느 날 지인이 했던 얘기가 떠올랐다. 그와 함께 밥을 먹고 있는데 딱 한 장의 쌈이 필요했어. 그래서 그에게

"쌈 하나만 줘"라고 했을 때, 그는 여러 장의 쌈 중에 정말 나에게 필요한 아주 작은 쌈 하나를 골라줬어. 입이 작은 나를 위해서 말이야. 어쩔 땐 나보다 나를 더 잘 아는 것 같다며 은은한 미소를 보였다. 대개는 말하지 않으면 아무도 모른다고 하지만, 때론 들려오는 소리 이전에 먼저 한 발짝 앞서 빛을 밝혀주는 네 무형의 사랑이 내 곁에서 스며들고 있었다.

친구의 지인은 올해 결혼 소식을 전해왔다고 한다. 그는 뜻밖의 소식에 놀랐다며 당시 마음을 전해왔다. 나는 그에게 무엇이 놀랄 일이냐며 물어보았다. 그는 아빠의 친구분이면 아빠랑 동갑이라며 올해 예순의 나이를 바라보고 계시는데, 심지어는 초혼이라는 말과 함께 한동안 황당한 표정을 지으며 말을 잊지 못했다.

세상 속에 수많은 여린 잎의 사랑이 있듯 무르익어가는 사랑도 있으며, 저물어가는 사랑도 있다. 과연 그들의 사랑을 나이만으로 제한할 수 있을까? 그것은 너무 슬픈 일이라 생각이 든다. 무르익어가는 곳곳에는 그들만의 기억의 습관이 남아있다. 우리는 그런 그들의 사랑을 감히 알 수 없다. 나이와 상관없이 그들의 기억이 서로의 공간 속에 촘촘히 쌓여 만들어낸 사랑이기에, 나이만으로 바라보기에는 사랑이란 단어 하나만으로 형용할 수 없는 것들이 눈에 밟혔다.

# 2 _ 한 줌의 모래도 추억으로 쏟아져요

# 말로만 듣던 사랑

사람, 그리고 나 자신. 모든 것이 무서웠기에 살고 싶어 도망친 곳. 그곳에서 얼핏 말로만 듣던 사랑을 보았다.

어느 공원, 사방 곳곳으로 웅장하게 쏟아있던 여러 갈색 가지의 단풍, 바닥에서 들려온 바스락거리는 소리 위에 걸음을 넣어 서로의 보폭을 맞춰주는 부부를 보았다.
이어 그 뒤를 따라 걷는 아이들을 보았다. 부부가 손을 잡고 걸을 때면 뒤에서 지켜봐 주는 아이들. 나는 혼자 상상을 했다. 아주 어릴 적엔 부부의 맞잡은 손을 보며 아이들도 따라 손을 잡고 걸었을 테고, 시간이 흘러 이 제는 부부의 사랑을 지켜줄 줄 아는 어엿한 학생으로 자라났겠구나. 하고 말이다.

아이들이 바라본 사랑이 무엇일까 궁금했지만, 내가 할
수 있는 것은 상상뿐이었다.


얼핏 말로만 듣던 사랑을 받았다.

내가 저들의 사랑을 보았던 어느 공원에서. 아직 불빛
하나 없는 새벽, 곧 밝아질 아침 세상을 함께 맞이하고
싶은 마음에 잠이 오지 않는 밤이라며 말한 그와 함께
공원으로 향했다. 우린 가로등 하나를 의지한 채 돗자리
를 깔고 앉아 서로에 대해 많은 이야기를 나눴다. 하지
만 나는 우리가 함께하고 있는 공원에서 내가 본 사랑에
대한 이야기는 하지 않았다. 너는 어엿한 학생에서 든든
한 성인으로 성장한 것 같았기에, 네게 받은 사랑을 잘
몰랐기에, 너와 멀어질 수밖에 없었다. 만약 너와 다시
마주한다면 그때 그 모습 그대로일까. 아니면 다른 이와
사랑하고 있을까. 나는 가끔 또 상상할 뿐이다.

# 하늘마저도 제멋대로인데,
# 하물며 우리는

윗집에서 떨어지는 물방울은 소리소문없이 햇빛을 따라 벽면을 타고 우리 집을 향해 들어오고 있었다. 투명한 방울은 어느새 천장까지 덮쳐왔다. 햇빛을 머금고 듬직해진 구름은 집안의 온기를 감싸주었다. 모든 것이 이곳을 향해 비추고 있었다. 예고 없이 들어온 것들이 싫지만은 않았고, 모르는 사이 내 눈길을 사로잡았다.

일기예보에서는 화창함이 이어질 것이라 했다. 그러나 머지않아 햇빛은 사라졌고, 회색빛이 몰려온 하늘 사이로 잿빛이 된 구름은 서로를 남대 하듯 편 가르기에 바빠 보였기에, 이것은 나도 모르게 눈길을 피하고 있었다.

모든 것이 이루어지기까지는 그리 긴 시간이 걸리지 않았다.

전화가 울렸다. 친구에게 걸려온 전화였다. 연인과 헤어졌다며, 한 사람이 마음속으로 들어올 때도, 나갈 때도 모든 게 제멋대로 라며 모든 것이 뜻대로 되지 않는다는 친구이다. 무엇을 잘못했는가, 자책하며 스스로를 돌이켜보는 친구였다. 나는 세상에 떠 있는 하늘마저도 멋대론데, 하물며 우리라고 다를 게 있겠는가. 그저 서로가 연이 아니었던 거라며 말했다. 이후 전화 너머로 들리는 애잔한 목소리에서 머지않아 다른 새로운 햇빛이 친구를 비추고 있을 것이라며 생각했다.

# 사랑의 퇴화

한 사람을 오래 만난 수진이는 예나 지금이나 퇴색하나 없는 맑은 눈동자를 지니고 있다. 수진이가 바라보는 한 결같은 사랑은 어떤 것일까. 한 사람을 오래 만난다는 것은 나도 모르는 좋은 모습과 그렇지 못한 모습들을 동시에 볼 수 있다며, 온전한 나와 상대방을 이해하는 법을 배운다며 맑은 눈웃음을 지어 보이는 수진이었다.

수진이의 사랑 앞에서 나에게도 영원할 것 같았던 사랑을 꺼내어 보았다. 서로 가까운 동네에 살았을 땐 사계절을 같은 동네에서 지낼 수 있음에 좋아했고, 서로 각기 다른 동네로 이사를 가게 되었을 때는 두 시간 조금 더 걸리는 거리를 가는 동안 한 사람으로 가득 채워져 있었기에 마냥 모든 것이 영원할 것만 같았던 시절이었다. 그러나 영원할 것 같던 순간 위로 시간이라는 것이 퇴적되기 시작하면서 이와 동시에 우리의 영원 또한 자연스레 묻히고 있었다. 가로등 하나 없는 길을 걸으며 서로를 의지한 채 변치 않는 사랑을 약속했던 순간, 하나의 우산을 나눠 쓰며 우리의 온도에 뭉쳐있던 흰 입김마저 녹아내렸던 순간. 모든 순간을 뒤로한 채 우린 시간에 따라 각자의 자리로 돌아가고 있었다. 우리의 서로 다른 감정 속도는 걷잡을 수 없이 멀어졌기에 더 이상 함께 사계절의 변화속도를 바라보지 못했다. 훗날 우리는 그저 흘러가는 시간만을 바라본 채 서로의 상황이나 감정 속도 같은 본질을 바라보지 못했다는 것을 알게 되었다. 그렇게 하나의 사랑은 퇴화되어 속절없이 기울어가기도 했다.

# 마지막 염원

오늘도 자욱한 안개는 걷힐 생각이 없다

바닥에 누워 흰 천장과 자욱한 안개를 번갈아 본다

이것이 천장인지 안개인지 도통 분간이 안될 때즈음,

안개 밑바닥에서 들려오는 딸아이를 찾는 어미의 소리,

애달픈 어미를 향해 저며오는 마음을 곱게 접어 미소를

지어본다

구름 한 점 없는 빛은 가지런히 나열된 어미의 흰 이빨

사이를 향해 밝아온다


그러나 자욱한 안개는 딸아이를 삼켰다

아이가 어디로 갔는지 본 사람들은 아무도 없다

흰 목련은 검갈색이 되어 바닥으로 곤두박질치며 침묵한

다

나는 빛이 잘 드는 날이면 어미의 마지막 염원이 이루어

지길 바라며

아이가 마지막으로 발견된 자리에 곱게 접은 종이학을

가져다 놓곤 했다.

# 아픔을 아픔으로 위로받았다

아픔을 아픔으로 위로받았던 적이 있다. 이것은 이기적일 수도 있겠지만, 적어도 그날 그의 아픔은 나에게 포근한 위로가 되어 주었다.

매번 시답지 않은 농담을 하고 큰소리를 내며 웃는 이가 있다. 하루도 조용할 날 없던 그에게 내 엄마의 입원 소식이 전해졌을 땐 한동안 별말 없이 고요했다. 하루가 24시간이라는 게 야속했던 몇 주의 시간이 흘렀을까. 그는 아주 조심스럽게 상황을 물어보았다. 나는 그렇게까지 조심스러울 필요가 있냐며 되물었고, 그는 사람들은 대부분 본인과 관련된 아픔을 말하기 꺼려하는 것 같다며 물어보기가 조심스러웠단다. 나는 그에게 괜찮다며 그간의 상황을 전해주었다. 모든 이야기를 가만히 들던 그는 "우리 아빠는 목공사인데, 작년에 일하시다 엄지손가락이 절단되셨어, 우리 큰 아버지는 공장을 운영하셨는데, 공장에 불이 나는 바람에 전신 화상을 입으셔서 붉은 화상 자국이 있어"라며 본인 가족의 아팠던 이야기들을 덤덤하게 꺼냈다. 그 덤덤함 속에서 "세상을 살아갈 땐 애석하게도 누구에게나 아픔은 있기 마련이야, 각자의 아픔의 크기는 다르겠지만, 그 아픔 뒤에는 괜찮아지는 날도 올 거야"라는 위로의 메시지를 주는 듯했다. 매번 가벼우면서도 시답지 않은 농담과 마냥 큰소리로 들리던 웃음 뒤에도 아픔은 존재했던 것이었다. 갑작스러운 엄마의 입원으로 분초를 다투며 거뭇해진 내 마음은 그의 담담함에 녹아내리고 있었다.

# 글자 위로 병마를 덮어봅니다

이유 모를 복통을 참다 동네 병원에 왔습니다

의사는 약을 처방해 주었지만, 약을 먹어도 복통은 갈수록 심해지곤 했습니다

손에는 이유 모를 수포가 자라났습니다

같은 수건을 반복사용한 흔적인지 어느 것 하나 알지 못한 채, 의사는 연고 하나를 처방해 주었습니다

복통은 걷잡을 수 없었기에 큰 병원으로 갔습니다

의사는 복막염으로 조금만 늦었어도 생명에 지장이 있었을 거라며 말했습니다


병원에는 굽은 허리로 물끄러미 텅 빈 천장을 바라보는 할아버지가 있었습니다

회색빛으로 물든 할아버지의 눈빛에선 알 수 없는 공허함이 우수수 떨어졌습니다

할아버지의 병명은 상세불명의 시신경 장애라며 의사는 말했습니다

할아버지는 회색 물결 속으로 빛바래져 가는 책 한 권을 담아보지만, 이내 얼마 못 가 천장을 바라볼 뿐입니다

이유 모를 병마가 할아버지를 거세게 몰아칠 때면

아무도 모르게 옅은 소리를 내며 글자 위로 병마를 덮곤 했습니다

책도 할아버지도 희미해져 갈 때면, 저는 할아버지가 곱씹어 보는 책위로 할아버지의 반듯했던 시절이 오랫동안 글자 속에 기억되었으면 좋겠다며 회색빛으로 물들어가는 할아버지를 바라보고 있었습니다.

# 침묵을 좋아하곤 했어

무엇을 물어도 돌아오는 소리 하나 없는 소녀

소녀는 침묵을 좋아한다

네 검은 동자는 한 치의 흔들림도 없고

무엇도 가늠할 수 없이 텅 빈 채로 상대를 응시한다


창밖으론 봄이 찾아왔다

나무는 봄과 함께 풍성함을 자랑했으나

소녀는 왜인지 자꾸만 야위어 간다


창밖으로 겨울이 찾아왔을 땐

텅 빈 뼈대만 남은 나무는 야윈 소녀를 닮아있었다

자신을 닮은 나무를 바라보던 소녀

고개를 돌려 병원 벽에 걸린 바다가 그려진 사진을 응시
했다
 그때 소녀의 목소리를 처음 들었지만
소녀의 얼굴은 울긋불긋 열꽃이 피어났고
목에는 붉은 띠가 둘러져 있었다

간밤에 소녀는 다시 돌아오지 못할 바다로 떠났다
사람들은 소녀가 머문 자리를 꺼려했으나
나는 침묵을 일삼던 소녀의 자리를 바라보며 인사를 건넸
다.

# 사라져 가는 그리움

건너편에는 기껏해야 초등학교 사학년 정도로 보이는 두 아이들이 마주 보고 앉아있었다. 둘은 아무 말 없이 음료를 마시며 고개를 푹 숙인 채 각자의 핸드폰에만 열중하고 있었다. 그 모습을 보며 "귀여운 녀석들"이라는 생각이 들었지만, 아이들의 침묵이 길어질수록 씁쓸하면서도 어릴 적 그리움이 선하게 그려졌다. 서로 연락하지 않아도 약속이라도 한 것처럼 함께 모여 학교로 향했던 그림자, 주말이면 "안녕하세요, 누구누구 친구인데요, 누구 있나요?"라고 말하면 전화 너머로 들리는 친구의 목소리, 하교 후엔 무엇이 그리 즐거운지 운동장에서 사방치기를 하던 모습, 누군가 디카를 가져왔을 땐 삼삼오오 모여 신문물을 본듯한 눈빛.

이 시절을 보낸 이들이라면 누구나 그리워할 법한 것들에 잠겨있을 때 문득 뇌리를 스쳐 간 것이 있었다.

때는 주말 아르바이트가 끝난 늦은 저녁 선선한 바람을 맞으며 집으로 걸어가던 그 시절. 몇몇 개의 가로등뿐인 길에는 슬리퍼 질질 끄는 소리와 옆 논밭에서 들려오는 개구리의 울음뿐이었다. 단출하고도 반복적이었음에도 뭐가 그리 좋았는지 이것을 위해 주말을 기다린 적도 있다. 정신없는 아침 길에는 들리지도 보이지도 않던 것들, 온종일 진땀 내며 일하던 시간들, 모든 것이 끝난 늦은 저녁이 돼서야 그것들은(단출하고 반복적인 것들) 모여들기 시작했기에, 오직 이때만 느낄 수 있는 것들이었다. 그래서 문득문득 그리움이 더 고조되는 것이 아닐까 한다.

어느 정도 지났을까 다시 아이들이 눈에 들어왔을 땐 여전히 침묵과 함께 핸드폰 삼매경이었다. 저 아이들과의 공백기는 족히 십여 년 정도는 될 것이다. 그러므로 그 시절 와자지껄한 것들이 있었다면, 때론 침묵도 필요한 것이고, 자연에서 들려오는 소리가 있었다면 정교한 기계음 소리도 필요할 것이며, 이것은 톱니바퀴가 맞물려 돌아가는 듯한 세상의 이치일 것이다. 이날 커피의 끝맛은 유독 떨떠름하게 다가왔다.

# 우리가 바라본 세상

거리에는 온통 화려한 형형색색 알전구들이 가득했다. 알전구 사이사이로 남녀노소 상관없이 흰 눈을 맞으며 거리는 활보하는 사람들로 북적였다. 많은 군중 속, 네 아버지가 불빛 한 점 없는 반대편을 향해 홀연히 떠나셨다며 온몸이 떨리는 목소리를 들었다. 모든 일은 한순간이었다. 예고 없는 죽음은 너에게 술과 눈물을 선사했고, 너를 깊은 심연 속으로 잠식시켰다. 너는 그곳이 어떤 곳인지 몰랐지만, 낮이건 밤이건 늘 웃고 계신 사진 속 네 아버지를 보며 적어도 그를 의지하던 너는 세상 한구석이 몰락해 가는 것을 느꼈을 것이다. 지금이 몇 시인지, 무슨 계절인지 모른 체 반팔 차림을 하곤 술을 사러 나오는 일이 전부인 너였다. 그런 너의 검은 눈물은 한

쪽 벽면을 가득 채운 것도 모자라 방바닥까지 차고 올라올 기세였다.

그곳에서 얼마나 허우적댄 걸까. 가늠조차 할 수 없지만 이제 너는 제법 웃어 보이기도 하고, 지금이 어떤 계절을 지니고 있는지도 안다. 너는 아주 오랜만에 네 아버지의 사진을 꺼내 보였다. 사진 속 아버지와 똑같은 웃음을 지으며 말이다. 네 아버지는 여전히 웃고 계셨고, 너는 더 이상의 눈물은 흘리지 않았으나 눈망울은 약간의 촉촉함을 메꾸고 있었다. 네가 세상의 계절을 다시 바라보게 될 때까지 삼켜온 수많은 날들의 무게는 나를 그대로 짓눌렀고, 네 집 거실을 바라보며 살아남기 빠듯했을 세상이었겠으나, 네 아버지와 함께 보낸 날들이 고스란히 남아있는 것이 부럽기도 했다. 어느새 내 눈동자도 촉촉해져 있었고, 그 안으로 부러워하는 어린아이의 모습이 둥둥 떠다녔다. 우리는 한동안 침묵 속에서 각자의 세상을 바라보았다.

# 우리가 사는 세상

"내겐 너무 소중한 너"라는 영화를 보게 되었다. 영화의 큰 내용은 이러했다. 시각청각 장애를 가진 어린아이와 한 남자가 함께 살아가며 처음엔 서툴지만 시간이 지나면서 서로의 세상을, 존재를 알아가는 스토리.

우리나라에서 시각청각 장애인은 대략 오천 명에서 일만 명 정도 된다는 것에 놀람과 경악을 금치 못했다. 이렇게나 많은 이들이 불편을 겪으며 세상을 살아가다니, 그들이 사는 세상은 어떤 세상일까. 감히 상상조차 할 수 없지만, 시각 청각을 동시에 잃는 것은 내게도 일어날 수 있는 일이 되겠다. 시작은 정말 우연히 보게 된 것이지만, 그 끝은 우연처럼 그저 스쳐 가기에는 다소 무거운 내용이었다.

이전에 불의의 사고로 인해 한동안 다리 한쪽을 못 쓰게 되었을 때도, 예고 없이 엄마가 다리 한쪽을 절게 되었을 때도 달라진 것은 오직 하나였는데, 별 신경 쓰지 않고 다녔던 계단도, 조그마한 돌부리도, 모든 것이 벽으로 다가오는 세상이었다.

자주 봉사활동을 하러 다니던 학생 시절 그때 만난 아이 또한 그랬다. 눈이 보이지 않는 아이는 목소리만으로 상대의 성격이 예민한지, 세심한지, 두리뭉실한지, 어떠한 생김새를 가지고 있는지 마치 보이는 것처럼 술술 말하는 것이 참 신기했다. 한 번은 어찌 그리 알 수 있냐 물어보았고, 눈이 보이지 않으니 자연스레 다른 기관들이 남들보다 조금 더 민감하게 반응하는 것이라는 답을 했다. 아이는 다른 친구들이 복지관의 운동장에서 뛰어놀 때면 늘 쭈그리고 앉아 모래바닥에 무언갈 그리곤 했는데, 그것은 세상의 벽으로부터 살아가기 위해 당시 친구들의 뜀박질, 그 사이로 들려오는 뒤죽박죽 불어오는 소리를 금방이라도 지워질 것 같은 건조한 모래 위에 꽤 오랜 시간 새기고 있던 것은 아닐까 하며 아이의 대답을 곱씹어 보았다. 이제는 더 이상 그 무엇도 신기하지 않았다. 다만 제법 의젓한 나이가 되어있을 아이에게 오래 머물 수 있는 햇살이 불어오고 있길 바랄 뿐이다.

# 도라지무침

변화무쌍한 계절을 가장 먼저 느낄 수 있는 할머니 집은 봄이 오면 향긋한 새싹들의 내음이 창문 틈 사이로 들어온다. 봄이 되면 할머니는 도라지를 만나러 뒷산으로 향하신다. 중간중간 냉이의 깊은 내음은 할머니의 마음을 사로잡지만, 곁눈질만 하신 채 이내 걸음을 재촉하신다.

그런 할머니의 뒤꽁무니를 따라가다 길 양옆으로 노란 개나리들이 봄바람에 몸을 맡기며 나부끼는 모습에 미소 짓는 할머니를 보며, 할머니도 젊은 시절이 있었겠지 하는 생각에 젖어 들 때쯤 어느덧 길 끝엔 도라지가 있다. "이~ 느가 좋아하는 도라지 여 있네"라며 도라지와 함께 위풍당당한 걸음걸이로 집을 향해 갔다. 젊은 놈이

도라지무침을 좋아한다면서 "저 식초랑 가세 갖고 와봐"
라고 하신다. 할머니 아니면 언제 먹어보겠냐며 금세 뚝
딱 만들어 주신다.

그해 가을, 나는 또 할머니 집에 갔다. 주황빛이 도는 감
들은 우뚝 뻗어 할머니 집을 지키고 있었다. 곧 떨어질
듯한 감들을 뒤로하고, 또다시 도라지를 만나러 걸음을
재촉하셨다.

# 여름방학

아주 오랜만에 평일 낮을 한가로이 맞이했습니다. 이날
은 일을 일찍 끝내기도 한 날이었습니다. 원래라면 곧장
집으로 갔을 텐데, 왜인지 집 가는 길에 보이는 개천이
있는 공원이 자꾸만 눈에 밟혔습니다. 잠시 들려 쉬었다
가라면서 말입니다. 저는 발걸음을 돌려 공원으로 향했
습니다. 대낮의 햇볕은 그렁그렁 성을 내고 있었고요, 이
에 연연하지 않는 쾌적한 바람은 스쳐 지나가고 있었습
니다. 마침 나무 그늘이 있는 어느 벤치를 발견했습니다.
벤치 앞에 앉아 마주 본 풍경은 약간의 경사로가 있는
잔디밭이 길게 이어져 있었으며, 중간중간 여러 종류의
나무들, 몇 가지의 길게 늘어진 전선들이 보였습니다. 마
치 여름방학이 시작되고 할머니 집으로 향하는 것처럼

말이죠.

잠자리채를 들고 여름 하늘을 뛰어다니는 아이들, 매미 소리와 바람에 동화되어 몸을 나부끼며 환영해 주는 나뭇잎, 소독차의 뿌연 연기 속에서 걱정 없이 뛰어다니곤 했습니다.

만약 지금 똑같은 상황이 주어진다면 잠자리채는 그저 그물망이 될지도 모르겠고요, 매미 소리는 그저 요란스러운 소리로 느껴질지도, 뿌연 연기는 보이지 않는 두려운 존재가 되어있을지도 모르겠습니다. 그동안 나이만 늘어간 게 아니었나 봅니다. 한 해 한 해 지나갈수록 아무래도 무뎌지는 일도, 때론 걱정하는 일도 많아진 것 같습니다. 실제로도 주변에서 소위 재밌다 하는 프로그램을 봐도, 노래를 들어도 별 감흥이 없다거나, 큰일이 있는 것도 아닌데 늦은 밤 내일의 일들이 걱정되어 쉽사리 잠을 청하지 못할 때도, 쾌청한 하늘을 보고도 지금에 지쳐 그냥 스쳐 가기도 했으니까요.

그래요, 선물 같은 시간을 뒤로하고 잠시 잊고 살았나

봅니다. 아주 오랜만에 느껴보는 여름방학, 생기발랄한 것들은 가까운 곳에서 기다리고 있었는데 말입니다.

# 울타리

우연히 할머니, 그런 할머니와 생김새가 똑같으신 두 분께서 활짝 웃고 계신 사진을 보게 되었다. 흡사 쌍둥이 같은 모습에 놀라 눈을 크게 뜨며 누구시냐 물었더니 가족 중 유일하게 살아계신 동생, 이모할머니라고 하셨다. 우연히 이모할머니와 통화를 하게 되었다. 통화 너머로 들려오는 웃음소리마저 할머니와 똑같아서 다시 한번 놀랐다. 두 분께서도 가족이라는 커다란 울타리가 있었을 텐데, 그 커다랗게만 보이던 울타리는 어느덧 두 분만이 남아 꾸려나가는 세월을 맞이하고 계셨다. 울타리 안, 추억의 온기를 지키기 위해 고군분투한 시간들도 있었을 테고, 사랑하는 이들을 먼저 떠나보내야 하는 이별의 아픔도 있었을 테다. 그 시간 동안 두 분은 먼발치에서 서로를 말없이 바라보았을 것이고, 때때로 위로와 행복을 가져다주었을 것이며, 아픔은 함께 나눴을 것이다. 그렇게 두 분의 방식으로 울타리를 지켜나갔을 것이며 서로를 닮아갔을 것이다.

# 복

한가한 휴일 오후 우리는 공원으로 산책을 하러 나갔어. 아주 오랜만에 말이야. 공원에는 가족으로 보이는 이들도, 연인으로 보이는 이들도 있었지만, 홀로 나온 이들도 종종 보였어. 공원 가장자리에는 새로 만들어진 듯한 벤치들이 일렬로 늘어져 있었어. 우린 벤치 사이로 연분홍을 띠고 있는 평탄한 길을 걷고 있었지. 그때 저 멀리 벤치에 앉아있는 한 어르신을 보았어. 한껏 여유를 느끼고 계시는 듯한 어르신의 장갑은 벤치 옆쪽에 가지런히 놓여있었어. 어르신은 장갑 챙기시는 것을 깜박하신 듯 이내 걸음을 재촉하시는 거야, 나는 곧장 뛰어가서 장갑을 건네었어, 어르신께서는 나긋한 말투로 "어머, 내 정신 좀 봐, 고마워서 어째, 복 많이 받아요"라는 말씀을 하셨어. 그때 아직 싹이 나기 이른 나뭇가지 위로 까치 한 마리가 앉아 있었어, 까치의 울음은 오랫동안 우리 주위를 맴돌고 있었어.

이모는 말했어.

"세상에, 복이 오려나 보다 "

"왜요?"

"까치가 우리 곁에서 울고 있잖아, 까치는 복을 가져다 주거든."

그러자 엄마는 말했어. 내가 세상에 태어났을 때 창밖으로 까치 한 마리가 앉아있었는데, 한동안 그 자리에 앉아있었고, 울음소리는 아주 오랫동안 머물렀다고 말이야. 일렬로 늘어져 있는 벤치, 가지런히 놓여있던 장갑, 연분홍을 띤 평탄한 길 위, 까치의 울음소리. 나는 그곳을 걸으며 웃고 있는 우리를 보았고, 우리에게 오랫동안 복이 가득하길 빌었어.

# 이제는 사라진 소중한 것들

어릴 적 만화책 수집을 좋아하였다. 기분이 우울할 때면 오래된 만화책을 모으러 헌책방에 가곤 하였으며, 헌책방의 거리는 마다하지 않았다. 헌책방에 가기 위해 부산까지 간 적도 있었으니 말이다. 그중 거리는 꽤 있지만 자주 가던 곳이 있었다. 그곳은 지하에 위치해 있었고, 천장 끝자락까지 빼곡한 책들은 아주 오랫동안 머물러 있었다. 수많은 책이었지만, 종류별로 나름의 위치가 정해져 있었다. 책방 전등과 맞닿아있는 곳에 있는 책이 보고 싶을 때면 주인장 할아버지는 나무로 된 사다리를 가져와 꺼내주시곤 하셨다. 이곳들의 책은 누군가에게 쓰임을 받던 책이었다.

지금은 운영하지 않는 듯한 책방에서 여러 이들에게 관

심을 받던 책, 작가의 싸인이 담겨 있던 책, 어린아이에게 쓰임을 받은 듯 중간중간 낙서가 되어있는 책, 새것처럼 관리되어 있는 책.

그중에서도 오랫동안 빛을 받지 못한 듯 누렇게 변해있는 책은 내 눈에 오랫동안 머물러 있었다. 이 책 또한 분명 누군가에게 쓰임을 받았을 시절이 있었을 텐데, 이제는 더 이상 누구도 찾지 않는 지하 어느 구석진 곳에 쓰러져 있었다.

엄마는 내가 세상에 태어났을 땐 팔 한 뼘도 안되는 아주 작은 존재였다고 한다. 그런 아이의 몸에선 살면서 한 번도 보지 못한 광이 났다고 말했다. 길게 뻗어있는 손, 곱슬거리는 머리카락을 가진 나는 축복을 받으며 보귀한 존재로 자라났다. 애석하게도 어린 시절을 돌이켜 보면 마치 빛이 바래가고 있는 책들 어딘가에 숨어있는 것을 더 좋아하는 나였다. 엄마는 그런 나를 보며 태어났을 적 이야기를 자주 해주시곤 하셨다. 시간이 지나 헌책방을 찾고 싶었지만 찾을 수 없었다. 분명 오랫동안 자주 다니던 곳인데도 불구하고 이름도, 위치도 어느 것 하나 기억나는 게 없다. 아무리 검색을 해봐도 나오지 않는 것을 보면, 사라진 걸까 생각을 하다가도 그곳의 수많은 책들, 주인장 할아버지 모두 보귀했던 시절의 그곳으로 긴 여정을 떠나간 것이 아닐까 하며 고개를 들어 볕 사이로 지나가는 구름을 바라보았다.

# 츤데레

츤데레라는 말을 흔히 들어보았을 것이다. 우리말로는 무심한 듯 챙겨주는 사람이라고도 불린다. 츤데레란 단어를 검색하자마자 나온 것은 츤데레를 표현하는 네 컷 만화였다. 두 남녀는 서로 투닥거리는 듯하다, 남자의 손에는 우산이 들려있다, 그러던 중 갑자기 하늘에서 비가 오기 시작했고, 여전히 투닥거리는 상황 속에서 남자는 여자에게 우산을 씌어준다. 네 컷 만화를 보자마자 "어, 성민이다."라는 말은 고민도 없이 입 밖으로 나왔다.

성민이는 츤데레라 불리기에 손색이 없으며, 심지어 세심하기까지 하다. 여섯 살 터울, 유독 오래된 노래를 좋아하는 나, 그런 우리가 함께 차를 탈 때면 너무 올드하다며 틱틱거리는 말과는 다르게 오래된 노래를 틀어주는 너다. 밤늦게 마트를 가야 할 때면, 귀찮다는 말과는 다르게 외출복을 주섬주섬 입는 너다. 물놀이를 하다 남들과 멀어졌을 땐 왜 이리 느리냐는 외침과는 다르게 왔던 길을 다시 헤엄쳐 돌아오는 너다. 어둠이 밀려오고, 사람이 다가올 때면 유독 밝아지는 가로등을 보며 네가 생각나 전화를 거는 밤이다.

# 무엇이든 함께하고 싶은 사람들

밖을 나가기 싫은 날이었다. 해야 할 일들이 머릿속을 스쳐 지나갔지만 그저 아무것도 하지 않고 조용히 지나가고 싶은 하루였다. 그때 현이는 영이와 함께 다 같이 쇼핑을 하러 가자며 운을 띄었다. 나는 둘이 다녀오라고 말했지만, 현이는 봄이 다가오고 있으니 봄옷 구경을 하러 가자며 쇼핑몰에서 만나자는 재촉을 하였다. 나는 그렇게 못 이기는 척 밖을 나섰다. 가는 내내 저 멀리 보이는 건물들을 감춰내고 있는 미세먼지는 내 마음까지 가라앉게 하고 있었다. 쇼핑몰 안은 어딜 가도 사람들로 붐비고 있어 덕분에 기가 쭉 빨렸지만, 막상 그들을 만났을 땐 방금 전까지 기가 빨리던 내가 맞나 싶을 정도로 나도 모르게 웃음이 나왔다. 우리는 이것저것 다양한 종류의 모자도 써보며 서로 자랑도 하고, 서로 이 사이즈가 맞네 저 사이즈가 맞네 하며 어울리는 옷을 골라주기도 했으며, 카페에 들어가 커피 한잔을 마시며 이전에 함께 다녀왔던 여행 사진을 보곤 낄낄거리기도 했다. 그저 아무것도 하고 싶지 않았던 하루는 어느새 무언가를 하며 가득 채워져 있었고, 오히려 이전보다 활력이 더 생긴 듯하였다. 가만히 들여다보니 생활 속에서 지쳤을 때 종종 지난 사진을 들여다보며 아, 이들과 또 여행 가고 싶다며 그때를 회상하는 나였으며, 혼자 하는 시간을 좋아하면서도 가끔은 서로의 취향을 알아가고, 함께 했던 시간들을 추억할 수 있는 사람들의 지리를 남겨놓는 나이기도 했다.

# 우리에게 주어진 무한한 마음

오래된 친구가 있다. 가끔 만나 밥도 먹고, 스스럼없이 일상 속 이야기도 하지만 서로 사는 동네는 꽤 거리가 있어 자주 만나지는 못하는 그런 친구. 학창 시절에는 끝나는 수업시간도 같고, 항상 가까이 있었기에 언제든 말 한마디면 만날 수 있었지만은, 이젠 서로의 퇴근 시간도 다르고, 최근 사는 곳이 더 멀어졌기에 밥 먹자는 말을 서너 번쯤은 해야 만날 수 있는 친구였다. 이날도 어김없이 연락을 주고받으며 밥 먹자는 대화를 이어갔다.

"밥 먹자"

"이야, 근데 퇴근하고 보기에는 너무 멀어서 주말에 밖에 못 보겠다."

"주말에 약속이 있긴 한데, 시간 맞춰볼게."

"너무 무리하지 마"

"한쪽이 무리하지 않으면 볼 수 없는 구조야"

내가 너에게 더 시간을 내어도, 네가 나에게 시간을 더 내어도 누구 하나 별말 없이 즐겁게 마주 볼 수 있는 것은 무엇이며, 오히려 더 편안해지는 것은 무엇일까. 그 생각의 끝엔 적어도 이 순간만큼은 근심걱정 털어버린 모습을 하고 앉아있는 친구가 눈에 들어왔다.

# 작은 전등

칠흑 같은 어둠을 뚫고 다가오는 새벽. 오랜만에 만나 반가웠던 친구들과의 다음을 기약하며 마지막 전철을 타고 내렸다. 불빛 하나 없는 동네는 차갑기 그지없지만 들떠있던 마음을 잔잔하게 진정시켜 준다. 어느새 이어폰 속 노래도 화려했던 일렉기타에서 잔잔하기 그지없는 통기타로 바뀌어 있었다. 나무 가지가지들은 서로의 앙상함을 어둠으로 가릴 수 있다며 기쁜 마음으로 기타의 마지막을 장식해 줄 때쯤 저 멀리 어둠에 반쯤 가려진 우리 집이 보인다. 모두가 잠든 집안. 나를 기다렸다는 듯이 어서 오라며 환하게 방을 안내해 주는 작은 전등. 아버지는 내가 늦게 들어올 때면 항상 작은 전등을 켜주어 식탁 위에 올려놓으시곤 하신다. 전등 속에 아버지의 마음이 녹아내려 오늘 하루 수고했다며 인사를 건네주는 작은 전등의 불빛 속에서 나는 사랑을 느꼈다.

# 40번 버스

도심과 잠시 떨어져 살았던 시절. 그곳에서 가장 놀라웠던 것은 버스 안에서 펼쳐지는 풍경과 그들의 문화였습니다. 버스 안 끝없이 펼쳐져 있는 푸른 밭, 그 위를 날고 있는 좀처럼 보기 드문 하얀 새, 동네에 누가 누가 살고 있는지 꿰뚫고 계시는 기사님은 그 시간대에 타는 승객이 보이지 않을 때면 기다리곤 했습니다. 파란 투명 봉지 속 가득 담겨 있는 농작물을 양손 가득 쥔 채 느릿느릿하게 자리를 잡고 앉는 어르신이 계셨습니다. 이곳저곳 숨 쉴 구멍을 뚫어놓은 종이 박스 안에 있는 병아리, 그 옆에 감싸져 있는 분홍 보자기에서 고개만 빼꼼 내미는 닭은 익숙한 듯 승객들의 신발 구경에 삼만리였습니다. 이것은 그들에겐 일상인 것이 되겠습니다. 그들은 혼자 다른 곳에 온 듯 모든 것이 생소한 이방인인 저에게 참 따듯한 곁을 내주었습니다.

익숙한 줄만 알았던 서울 생활에 다시 정착했을 때, 조금이라도 짐이 많은 어르신은 민폐가 된다는 점이었고, 버스가 출발할까 초조하게 자리를 잡고 앉아야 한다는 점이었으며, 왜인지 낮에 본 창밖의 고층건물들은 숨통을 조여온다는 점과, 누군가를 기다려줄 여유도 없다는 점이었습니다. 종종 그럴 때면 기사님도, 승객들도 목적지를 잃어버린듯한 멍한 표정을 지으시곤 했습니다.

모든 게 낯설게만 느껴질 때면, 길을 잃은 듯한 기분이 들 때면, 종종 40번 버스를 타러 도심을 벗어나기도 했습니다. 그곳의 기사님과 승객들의 느릿느릿한 대화가 오고 갈 때면 마치 방황하는 나에게 지금 잘 가고 있어, 잘살고 있다는 메시지를 주는 듯한 기분이 들곤 했습니다.

# 상냥한 문장 하나

당신은 오래전부터 "무엇이든 잘할 수 있어!"라는 한 문장을 습관처럼 말하곤 했기에, 당신의 말에 따라 자연스레 문제가 생겼을 때 자책하기보다 늘 잘 되는 쪽으로 이끌어갔다. 신기하게도 이따금 긍정의 마음을 가지고 열심히 산다며 부럽다는 소리를 종종 듣는다. 정작 나는 그 정도는 아닌 것 같아 그럴 때면 손사래를 치며 "뭐가 부러워. 당신도 열심히 살잖아"라며 말하곤 한다. 당신은 "너는 뭐든지 잘 되는 거 같은데, 나는 일만 하는 것 같아, 내가 잘할 수 있을까?"라며 스스로를 자책하는 것처럼 보이곤 한다.

하지만, 나도 우산 없이 비 맞고 싶은 날도 있고, 흰옷에

먹물 튀는 날도 있다. 그때마다 나는 무엇이든 잘할 수 있다며 좋은 것만 생각하려 노력한다. 그러니, 당신에게 도 "무엇이든 잘할 수 있어!"라고 상냥한 하나의 문장을 전해 본다.

# 완벽한 내 편

어느 여름, 란타나 씨앗이 있어 고이 가져와 키우게 되었다. 늘 자연 바람과 햇빛을 받으며 어느새 사람 몸만해진 란타나는 얼핏 보면 벌새처럼 보이는 박각시나방과도 친해져 있었다. 란타나는 변하지 않는다는 꽃말을 갖고 있다는데, 꽃말처럼 화려한 칠색 가지의 모습으로 언제나 박각시나방을 환영해 주었다. 그러나 충격적 이게도 이런 란타나는 어느 지역에서는 잡초 취급을 한다고 전해진다. 세상 사는 동안 모든 이들의 마음을 다 맞출수 없듯, 살아가는 동안 오직 한 사람만 완벽한 내 편이라면 그것만 한 가치가 없다고 생각한다. 과연, 나에게도 완벽한 내 편이 있을까? 조금은 무거운 마음으로 생각하는 중에 세상이 두 쪽 나도 완전한 편이 되어줘야겠다

다짐한 동생에게서 "나는 언제나 누나 편이야"라는 이야기를 들었다. 내게도 완벽한 내 편이 있다는 사실은 웃음을 짓게 만들었다.

# 당신과 함께 정처 없이
# 걷고 싶습니다

내향적인 면을 소유한 저에게는 종종 무엇을 해도 낯설고, 불편한 이들이 있습니다. 그런 이들과 함께 있을 때면 이름 부를 때조차 흠칫하게 되기도 하고, 함께 밥을 먹을 땐 음식이 어디로 들어가는지조차 알 수 없으며, 볼 때마다 남의 떡을 훔쳐 먹은 듯 헛기침을 하곤 합니다. 잘못한 것도 없는데 말이죠.

반면 무엇을 해도 편안한 이가 있습니다. 자연스레 성을 때고 부르는 일, 아무 말을 하지 않는 침묵조차 편안해지곤 합니다. 때론 이곳저곳 거닐어 다닐 때도, 심지어는 컹컹 소리를 내며 웃음이 나올 때도, 함께 있는 존재 자체로 충분한 이.

오늘 낮에는 불편한 일들이 많이 있었습니다. 우리 내향인들이 살다 보면 어쩔 수 없이 부딪혀야 되는 일들 말이에요. 가령, 회사에서 얼핏 일면식만 있는 이들과 점심을 함께 한다던가, 새로운 이들과 부딪혀야 된다거나. 그럴 때면 당신에게 "오늘 저녁엔 뭐 해?"라며 문자를 보내곤 합니다. 어떤 위로의 말 따위가 필요한 것은 아닙니다. 다만 당신과 함께 어디든 정처 없이 걷고 싶다는 말이 되겠습니다.

# 우리의 간격

아침에 일어나 싱크대로 향하였는데, 싱크대 벽면에는 작은 민달팽이가 보였다. 어느 날 갑자기 싱크대에 '쿵' 하고 나타났다 해서 싱쿵이라는 이름을 지어주었다. 그런 싱쿵이를 보고 있자니 우리가 언제부터 친해졌는지에 대한 주제를 가지고 한 친구와 토론 아닌 토론을 했던 우리의 모습이 떠올랐다. 어떻게 친해졌는지 기억조차 나지 않았기에 싱쿵이처럼 어느 순간 나타나 친해지지 않았나 짐작할 뿐이었다.

"우리가 언제부터 친해졌지?"
"너, 기억 안 나? 우리 같이 카페 갔을 때 그때부터 갑자기 서로 말문 트더니 친해졌잖아."

"맞아, 우리가 처음부터 이렇게 친하진 않았을 텐데 말이야"

처음에는 여느 누구나처럼 서로에게 데면데면하며 그저 사무적인 필요에 의한 이야기였으나, 이후에는 같은 조가 되어 과제를 한다는 핑계로 연락을 한다거나, 친구가 공부를 잘한다는 이유를 대며 스터디 그룹을 만들어 수업 외에 자주 만난다거나, 그러다 어느 카페에서 허심탄회하게 서로에 대해 이것저것 이야기를 주고받으며 말문이 트인 것이었다. 우리가 친해지기 위해 어색함을 견뎌낸 것, 취미나 무엇을 좋아하는지 등, 서로에 대해 궁금했던 시간들을 마치 너를 잘 알고 있다는 착각으로, 그저 너와 오랫동안 친하게 지냈다는 이유만으로, 우리 나름대로 서로에 대해 스며들기 위해 노력했던 소중한 시간들을 잊고 지낸 것이었다. 친구와 한참을 이야기하며 서로 친해지기 위해 서툰 빛을 내던 시간들을 다시 한번 꺼내 보았다. 우리는 어느새 정전하나 없는 안정적인 불빛으로 서로를 빛내고 있었다.

# 예고 없이 찾아오는 마음

예고 없이 감기몸살이 찾아왔다. 낮에만 해도 창문을 통해 날것 그대로 드러나는 밝은 낮빛의 해를 보며 흥얼거렸지만, 초저녁부터 알 수 없는 이유로 목이 따끔따끔하니 아프기 시작했고, 그것은 밀려오는 파도처럼 온몸을 덮었다. 더위와 추위가 함께 밀려오는 밤의 뒤척임과 잦은 깸은 한 곳으로 뭉개져 있는 이불이 대신 말해준다. 그런 몸살은 이부자리를 가지런히 하기도 전에 콕콕 사방 곳곳을 찔러대곤 한다. 무엇이 그리 애통한 건지 눈에서 나와야 할 눈물은 애꿎은 코를 향해 화풀이를 한다. 그로 인해 따끔거리는 인중 주변을 간간이 쳐야 되는 수고로움이 생겼으니 참 난감한 노릇이다.

이렇게 아프고 나면 전엔 보이지 않던 가까운 이들의 마음이 예고 없이 훅 들어오곤 한다. 때론 백 마디의 말보다 한 번의 행동이 마음속에 스며들 때가 있곤 하다. 이를테면 아무 말 없이 따뜻한 꿀물을 타주는 행동, 입맛이 없을 것 같다며 연한 된장국을 끓여주는 행동, 이것은 순수 걱정하는 마음들이 모여 만들어낸 행동이었을 것이다. 이것은 세상 어떠한 것으로도 살 수 없는 마음이었다.

# 우리에게 밝은 아침이
# 닿았으면 좋겠어요

매번 우리에게 하루의 시작을 알려주는 아침이 있듯, 매일 각자의 삶의 터전을 지키기 위해 이른 아침부터 분주한 이들이 있다. 이들에게 다가오는 아침은 어떤 아침일까. 이들이 존재하는 만큼 다양 각색한 아침이 우리에게 슬그머니 다가온다. 이런 아침의 존재가 달갑지 않은 이들도 있을 테고, 아침이 오길 기다리는 이들도 있을 것이다. 아침도 우리의 존재를 아는 것일까, 그것 역시 매일 새로운 모습을 장착하며 밤새 우리를 기다린다. 이른 시간 같은 전철을 타는 몇몇 이들이 보이곤 한다. 그들에게는 아침의 존재는 영 달갑지만은 않은 듯 초점 잃은 눈으로 각종 SNS, OTT 등을 보기에 정신이 없다. 그사이 전철 창문 너머로 아침 햇살이 들어와 밤새 단장했던 주홍빛의 자태를 뽐내지만, 그들 눈엔 아침의 자태가 보일 리 없다. 친구 수영이는 아침잠이 많기에, 아침의 존재는 달갑지만은 않게 느껴질 것이다. 아직 푸르스름한 새벽에 눈을 떠 삶의 터전을 가기 위해 문밖을 나가는 과정은 여간 힘든 게 아니라며 오늘 역시 하소연을 한다. 그러나, 아침을 맞이하는 것도 나란 존재이고, 햇살을 보며 여유를 느끼는 것도 나라는 존재이며, 어떤 아침으로 시작할지는 나라는 사람에게 달려있지만 창문 너머 미소 짓는 햇살이 못마땅한 수영이다.

오래된 영화 마지막 사랑 대사 중
"우리는 언제 죽을지 모르기 때문에 삶이 무한하다 여긴다"
"꽉 찬 보름달을 얼마나 더 보게 될까 어쩌면 스무 번, 모든 게 무한한 듯 보일지라도"라는 말이 있다.
우리 모두가 무한하다 여기는 시간 안에서 밝은 햇살이 좀 더 와닿았으면 좋겠다.

# 빨간날엔 단지 조금 쓸쓸할 뿐입니다

왜 빨간날만 되면 내 마음 한편은 묵직한 무언가에 베인 듯한 쓰라림이 묻어날까. 특히 빨간날에는 불이 켜져 있는 여러 건물들에게 눈은 오랫동안 머물러 있다. 건물의 상호 명칭을 새겨가며 사람들의 여러 모습을 상상해 보다 그중 자꾸만 눈길이 멈추어 신호등 거리의 간격을 유지하며 가만히 서서 오랫동안 빛나는 건물을 바라본 적이 있다. 적어도 내 상상 속 그들의 마음은 마냥 가볍지만은 않았다. 다들 돌덩이 하나씩을 지닌 채로 무거운 모습을 하고 있었다.

삼촌은 12월 25일 크리스마스에 영면하셨다. 그로 6년

후 1월 1일 엄마는 삼촌과 비슷한 병명인 뇌졸중으로 쓰러지셨다. 원래라면 크리스마스라며, 새해라며 누군가와 함께 밤을 지새며 바라보았을 야경이었지만, 야경의 일부인 빛의 조각이 날카로운 유리 조각이 되는 것은 한순간이었다. 아름다움은 한순간에 붉게 물든 전쟁터가 된 것이다. 거리 곳곳에는 온통 캐럴이 퍼져 있고, 수놓아진 화려한 조명과 함께 너도나도 이날을 기다렸다며 담아내고, 검은 밤이 무색할 만큼 하얗게 물든 거리 위로 순백의 미소를 짓고 있는 사람들, 며칠 뒤면 다가올 새해를 기다리며 작심삼일이 될 것을 알고 있지만 매년 같은 다짐을 하면서도 웃을 수 있는 사람들. 이렇게 행복을 지닌 수많은 사람들 속에서 빨강 범벅을 하고 있는 사람들이 보인다. 빨간 옷을 입고 빨간 통을 지키며 종을 치는 사람들. 이날만큼은 캐럴과 함께 울리는 이 종소리가 지금 이 순간조차 어딘가에서 어둠의 사경을 헤매고 있는 이들에게 한 편의 빛이 되어주기를. 구세군을 보며 조용히 바라보았다. 이제 수많은 순백의 미소 뒤에도 또 다른 아픔이 있을 수도 있다는 것을 알게 되었다.

그럼에도 아직 묵직한 쓰라림을 모르는 당신들이 전해오는 "메리 크리스마스", "미리 해피뉴이어"의 냉랭한 추위마저 이겨낸 들뜬 안부 인사를 건네받으며 적어도 당신들 만큼은 이 무거움을 몰랐으면 했기에, 조금은 늦게 알아도 괜찮지 않을까 하며 별거 아닌 일에도 큰 웃음소리를 내어보았다.

# 미소

얇은 연분홍 입술 사이로 백옥 같은 미소를 짓는 그녀는 고스란히 사진 속에 담겨 있었다. 연분홍 재킷을 두르고, 흰 꽃이 여럿 달려있는 백철쭉 사이에 앉아 뽀얀 건치를 드러내며 미소 짓는 그녀였다. 아, 때는 봄이었구나,

선홍빛 브이넥을 타고 비치는 아름다운 미소, 어릴 적 한강 잔디밭에서 본 네 잎 클로버, 아련해진 기억 사이로 반사되는 네 잎 클로버 문양을 한 목걸이를 차고 있는 그녀였다. 아, 때는 여름이었구나,

은은한 자색 빛을 띠는 길게 늘어진 코트, 제법 푸석해진 잔디는 발목을 감싸고, 그 위로 함박 미소를 지어 보이는 그녀였다. 아, 때는 가을이었구나,

끝이 보이지 않는 얇은 선처럼 이어진 나무 가지들, 벌

거벗은 가지들을 보며 코끝은 빨개지고, 의지할 곳이라
곤 진한 보랏빛을 자랑하는 외투, 그 사이로 따뜻한 미
소를 보여주는 그녀였다. 아, 때는 겨울이었구나,

그녀의 미소를 보며 자라온 나는 뇌졸중으로 경직된 그
녀가 웃는 법을 잊어버렸기에 언젠가 다시 백옥 같은 그
녀의 미소를 볼 수 있을까 하며 사진 속 곳곳에 배어있
는 미소를 그리는 밤이었다.

# 행복이라 말하고, 눈물이 왈칵 쏟아졌습니다.

평소에 종종 H.O.T- 행복이라는 노래를 듣곤 했습니다. 가사 중 "눈 감고 그댈 그려요"라는 가사가 있는데, 평소에는 아무렇지 않던 가사가 오늘은 왜 이리 슬픈지 한없이 눈물이 났습니다.

어쩌면 누군가와 영원한 이별을 하고 다시 오지 못할 행복했던 순간이 그리워 눈 감고도 선명하게 그려 낼 수 있다는 것일까요. 분명 행복이라 말하고, 눈물이 왈칵 쏟아졌습니다.

# 엄마

같은 집에서 자랐습니다. 그러나 우리의 본성은 제각각
이었습니다. 우리는 다른 성별을 가지고 태어났습니다.
그래서인지 너는 어릴 적 함께했던 당신과의 소소한 행
복을 기억하며, 때때로 아직 그 속에 머물러 있는 어린
아이 같아 보이곤 했습니다. 나는 당신과의 어린 시절을
기억하지 못하는 척했습니다. 어쩌면 기억을 외면하고
있는 것이었을지도 모르겠습니다. 그런 행복을 기억하게
되면, 당신이 남긴 상처 자국들은 한 줌의 재가 될 것
같았습니다, 아무 일 없던 것처럼 될 것 같았습니다.


젊은 시절 당신은 바깥으로 나도는 일이 많았습니다. 추

위가 몰려오는 밤길, 당신을 찾다 지쳐 들어간 편의점에서 그녀의 숨죽인 슬픔을 보았습니다. 그녀 옆에서 어린 아이는 따뜻한 우유를 마시며 밝은 척을 해야만 했습니다. 세상 모든 상처들이 사라진다 해도 그녀에게 남아있는 미간의 깊은 자국, 매번 새치염색을 하는 일은 사라지지 않을 것입니다. 그런 그녀는 거울을 보며 염색을 합니다. 잠시동안 덮어진 새치 위로 상처들도 덮어집니다. 그러나 그것은 때때로 예고 없이 찾아오는 비바람처럼 마음을 적시곤 했습니다. 너의 행복, 그녀의 상처, 모든 기억을 지켜주고 싶은 어느 겨울이었습니다.

# 돌아오지 않는 메아리를 붙잡아 보기도 했습니다

불의의 사고로 한쪽 다리를 못 쓰게 되어 병원 생활을 하게 되었을 때 옆방 입원실에는 머리카락부터 피부까지 하여 멀건해진 할머니가 마지막을 준비하시는 듯했다. 할머니는 어린아이가 된 듯 애타게 목놓아 부모님을 부르곤 했으나, 이날 유독 아빠를 부르는 할머니의 목소리는 복도를 가득 메워 쓸쓸한 메아리처럼 다가왔다. 삶과 죽음의 경계 끝에서 분초를 다투고 있는 할머니는 당신 몸조차 제 마음대로 가누지 못했지만 아빠의 부름만은 쓰러지지 않고 꼿꼿한 형상으로 선명하게 남아있었다. 애타는 부름만으로 할머니의 시간을 감히 한마디로 정의

할 순 없었으나, 문득 부르면 언제든지 달려와 줄 수 있는 듬직한 아빠의 존재가 있었기에 그토록 애타게 찾을 수 있지 않을까 하는 생각이 들어 할머니가 조금은 부러워 마음 한편이 시큰거렸다.

같은 병실에는 내 또래로 보이는 아이가 입원해 있었는데 옆에는 늘 아빠가 있었다. 나와 다르게 팔에 깁스를 한 소녀의 한쪽 팔이 되어주는 아빠였다. 무엇이 그리 즐거운지 밥 먹을 때도, 씻을 때도 늘 웃음으로 가득 차 있곤 했는데, 막상 부녀에게서 들려오는 이야기는 학교에서 친했던 친구들 이야기, 수학 공부가 어렵다는 이야기, 퇴원하면 함께 놀이공원에 놀러 가자는 이야기 등 소소한 것들로 가득 차 있었다. 어느 날 부녀는 다치지 않은 한쪽 손을 맞잡고 병원 1층에 있는 편의점에 다녀오곤 했는데, 소녀가 닿는 곳곳에 묻어있는 아빠라는 그림자를 보며 소녀의 아빠가 내 아빠였으면 어땠을까 하는 생각이 들었다. 이것은 나의 욕심인 걸까 하며 돌아오지 않는 메아리를 붙잡아 보기도 했다.

# 이번 겨울은 잠시나마 조금 느리게 지나가도 괜찮지 않을까 생각했습니다

당신을 참 오랜만에 만났습니다. 몇 해 못 본 사이 당신의 얼굴에 보이지 않던 주름 몇 가지가 생겼으며, 왜인지 주름은 참 자연스레 당신 얼굴 속에 묻어나 있었습니다. 나는 그런 당신의 모습을 보며 세상 속에서 잘 살아내고 있다는 것에 안도감을 느꼈습니다.

당신과 웃는 모습이 같은 나를 볼 때면 당신에 대한 원망이 짙어져 스스로를 부정하던 시절도 있었습니다. 나와 웃는 모습이 참으로 비슷한 당신의 웃음을 보았을 땐, 이제야 상처의 크기만큼 당신이란 존재의 그리움이 컸다는 것을 알게 되었습니다.

당신과 참 오랜만에 밥을 먹었습니다. 타지 생활을 오래한 당신은 속이 더부룩하다고 말했습니다.
무슨 일인지 당신은 더부룩한 배를 잡고 옷 가게로 향했으며, 겨울을 지낼 수 있는 옷과 목도리를 사주었습니다.
당신과 같은 목도리를 두른 후, 이번 겨울은 따뜻할 거라며 작별 인사를 했습니다.

당신이 떠나고 다시 한번 목도리를 고쳐 매며 이번 겨울은 잠시나마 조금 느리게 지나가도 괜찮지 않을까 생각했습니다.

# 우리 함께 보폭을 맞춰 걸을 수도 있겠습니다

당신은 매장에 있는 가방 사진 몇 가지 중 무엇이 마음에 드냐며 사진을 보내왔다. 누구에게 선물할 거냐며 물어봤으나, 네게 선물하는 거라며 말을 이어갔다.

"너 이런 가방 없잖아, 가방 메고 다니는 거 좋아하던데. 그리고 미안해, 한 번도 사주지 못해서"

통화 속 너머 목소리는 무엇이었을까. 추적추적 창문으로 흘러내리는 빗줄기를 타고 당신의 목소리가 울렸다. 쓸쓸하면서도, 기쁘면서도, 슬픔이 담겨 있는 목소리는 애환이 가득했다. 평소에 백팩을 메고 다니는 나다.

당신을 일 년에 두어 번 보았지만, 그때마다 백팩을 메고 있었을 것이다. 우리가 함께 걸을 때면 서로의 뒷모습을 자주 보여주었으며, 그때마다 보폭을 맞출 수 없는 지나온 시간을 하염없이 바라보곤 했다. 당신도 마찬가 지였을까. 내게 무엇이 필요한지, 어떤 것을 좋아하는지, 뒷모습을 보며 혼자 짐작하곤 했을 것이다. 나는 당신이 어디 아픈 건 아닐까 걱정이 앞섰지만, 우리가 함께 보 폭을 맞춰 걸을 수도 있지 않을까 생각하며 그날을 그려 보았다.

# 웃으며 사진 한 장 찍어 보았습니다

언제부터 인가 당신은 어느 곳에 가면 그곳의 종업원이나, 지나가는 이에게 사진 한 장을 부탁하곤 하는데, 몇 안 되는 사진마저도 나는 인상을 찌푸리거나 뚱해 있는 사진들이 전부였다. 당신이 떠난 거리만큼 좁혀지지 않던 어릴 적 마음이 사진 속에 고스란히 담겨 있었다. 그런 사진들이 몇 장쯤 쌓였을까. 십 년이면 강산도 변한다는 흔히 알고 있는 속담처럼 혼자 살아온 당신, 당신 없이 살아온 나 그사이에는 많은 것들이 달라져 있었다. 이전에는 각자 서로의 주장이 맞다며 큰 소리만 낼 줄 알았다면, 지금은 우회할 줄도 알고, 서로를 인정해 줄 줄도 아는 사이가 되어있었다. 십 년이라는 시간이 마냥 흘러가지만은 않았던 것이다.

당신은 가는 곳마다 사진을 부탁하는 이유는 그동안 우리가 추억할 만한 변변한 사진 한 장이 없는 게 한스러웠다며 말한 적이 있는데, 어느덧 나도 어딜 가나 추억용으로 많은 사진을 남기는 나이가 되었다. 이제는 내가먼저 부탁할 때도 종종 생기곤 했다. 당신의 한 서린 마음, 우리의 거리 그 무엇 하나 줄일 수 있을까 하며 미소를 띠어보았다. 우리 서로 웃는 사진을 담아내는 데까지 참 오랜 시간이 걸렸다.

# 함께이기에 불러보는 사랑

꽃다발의 결말은 예외 없이 같다. 아무리 정성껏 물을 주고, 화병에 옮겨 두어도 결국엔 모래알처럼 부서져 흰 쓰레기봉투로 향하기 마련이다. 그저 나 혼자만 생각해 보았을 땐, 마치 어느 영화의 예고편을 보고 두근거려 영화가 개봉할 때까지 설레었지만, 막상 보고 나니 결말이 예상되는 진부한 영화 한 편을 보는듯한 기분, 그래서 돈도 시간도 버려진 기분. 내겐 꽃다발이란 그런 것이었다. 나 혼자가 아닌 우리가 함께하는 사랑을 생각해 보았다. 폭우가 한바탕 지나가고 모든 게 가라앉은 길 위로 어디선가 꽃향기만이 새어 나오고 있었다. 그 끝에는 작은 꽃집 하나가 있었는데 향기는 유독 코끝 어딘가에 오래 머물러 있었다. 향기를 품으며 나 혼자가 아닌 우리의 사랑을 생각해 보았다. 그저 폭우가 쏟아진 것 외에 평소와 다를 게 없는 하루 중 꽃다발을 선물 받은 뽀얀 건치가 묻어 나오는 당신의 모습이 물웅덩이 사이로 비쳤다. 나는 상상만으로도 옅은 미소가 지어졌기에 바로 그 길로 꽃집을 향해 되돌아갔다. 노란색을 좋아하는 당신을 위해 노란 물결이 깃든 장미 다발을 사 들고 발걸음을 옮겼다. 노란 장미 다발이 들어있는 쇼핑백 끈의 촉감은 보슬보슬 거렸다. 한 발 한 발 걸을 때마다 스프링처럼 통통 팅기는 끈과 함께 설렘 속에서 당신의 웃음 다시 한번 그렸다. 결국 꽃다발은 우리 곁에서 사라지는 결말을 맞이하겠지만, 이날의 가라앉아 눅눅해진 습도, 서늘한 온도, 보슬보슬했던 촉감, 당신의 뽀얀 건치가 드러나는 웃음은 오랫동안 기억 속에서 일렁일 것이다. 혼자가 아닌 함께이기에 나는 이것을 사랑이라 부르기로 했다.

# 우리 함께 불행을 나눠 갖자

여러 아이들에게는 투명한 그림자가 비치고 있었습니다. 그것은 제 나이에 맞게 밝음을 가지고 살아가고 있다는 뜻이 되기도 했습니다. 반면 한 소녀에게는 늘 불행이라는 검은 그림자가 뒤따르고 있었습니다. 소녀는 다운 증후군이라는 병을 앓고 있었는데, 검은 그림자는 남들과 생김새가 다르다는 이유 하나만으로 소녀를 밤낮없이 따라다니기에 충분한 세상이었습니다. 어김없이 학교 경비 아저씨는 잠시 스쳐 가는 창문 너머로 소녀를 불러봅니다. 어깨도 펴고, 밝게 다니라면서요. 단숨에 알아보시는 것이 소녀가 지나간 자리마다 검은 그림자는 꽤 오랫동안 그을린 냄비의 흔적처럼 남아있던 게 틀림없었습니다. 그런 소녀는 그림을 그렸다 지웠다를 자주 반복했습니다. 그럴 때면 지우개의 몸뚱이는 여러 곳으로 분리되면서 이곳저곳으로 흩어지곤 했습니다. 손 두 마디를 꽉 채우던 지우개의 몸뚱이도, 검은 연필의 흔적도 아주 깨끗하게 사라지곤 했지만, 그럴수록 검은 그림자라는 불행은 하나의 수식어처럼 소녀 주변에 달라붙어있는 듯했습니다. 같은 반 학우들은 확인도 되지 않은 사실을 마치 진실인 듯 수군거리기 시작했습니다. 냄새가 나느니, 이상한 그림만 그려 댄다느니 소녀를 피해 다니기 바빴습니다. 불행은 옮기는 것이라며 같은 말을 반복하는 소녀는 책상 간격을 띄어놓곤 했으나, 저는 남몰래 흩어진 지우개의 몸뚱이를 다시금 하나로 굴려 소녀에게 주곤 했습니다. 우리 함께 검은 그림자를 지우자며 말입니다, 우리 함께 여느 아이들처럼 투명해지자면서 말입니다.

# 가장(家長)

새로 개방된 듯한 도로와 번지르한 건물을 지나 양옆으로 일정 간격 늘어져 있는 나무에게도 제법 짙어진 여름이 찾아왔습니다. 희끗희끗 보이는 벚꽃을 보며 벚꽃이 만개했던 시절을 그려보기도 합니다. 두 계절이 공존하는 멋들어진 도로를 지나면, 굽이굽이 한 길의 끝자락에는 어느 노부부의 터전이 있습니다. 전원적인 은색 대문 앞, 이곳저곳 녹슨 우체통 앞 곳곳에는 노부부의 손때가 묻어있는 이름 석 자가 적혀있었습니다. 노부부의 할아버지는 2년 전 세상을 떠났지만, 할아버지의 이름 석 자만큼은 여전히 듬직한 모습으로 할머니를 지키고 있었습니다.

할머니는 며칠 전부터 미루어놓은 교통카드 발급을 위해 시내로 나섰습니다. 여전히 도로는 새 아스팔트의 거뭇한 냄새로 물들어 있었고, 가게 안에서는 감각이 얼얼해지는 페인트 냄새가 모여있었습니다. 장승처럼 우뚝 서 있는 할아버지의 이름 석 자는 우왕좌왕 이질감을 느끼는 할머니 옆에서 이정표 구실을 하고 있었습니다.

# 익숙해진 당신들과 영원히
# 함께 하고 싶습니다

최근 집 방문에 가정용 철봉을 설치했는데, 불과 몇십 초 매달렸을 뿐이었지만, 안 쓰던 근육들은 바깥세상을 구경하겠다며 이리저리 날뛰고 있었다. 그게 두 번째, 세 번째가 되니까 나도 모르게 다치거나 심한 근육통이 생기면 어떡하지라는 두려움이 밀려와 자꾸만 철봉을 회피하려는 것이었다. 이것이 반복되다 보니 손바닥에는 자연스레 딱딱하고 노릇노릇한 굳은살이 박여 있었다. 굳은살은 익숙해져 한 몸인 것처럼 자리 잡고 있었다. 그런데 영원하게 박혀있을 것 같은 이 굳은살은 며칠 동안 운동을 하지 않으면 나무껍질이 벗겨지듯 거칠거칠하게 올라왔다. 그제야 이것이 굳은살이라는 것을 인지하니,

세상엔 영원한 것은 없나 싶다.

길을 걷다 작은 빵집 창문틀에는 조기 소진이 될 수도 있는 누룽지 쌀빵이 적힌 에이포 용지가 붙어있었다. 나를 웃게 해주는 당신이 좋아할 것 같아 가던 길을 멈추고 함께 동행하던 친구에게 양해를 구했다. 친구는 좀 있다가 다시 이 길로 돌아올 텐데 굳이 지금 사야 되냐며 말했지만, 조기 소진이라는 문구는 나에게 지금 당장 저 빵집 문을 열고 들어가기엔 충분한 이유였다. 이것이 하나의 마케팅이라고 본다면 그럴 수도 있겠으나, 어쩌면 이 마케팅은 당신과의 단단한 관계를 증명하는 것이기도 했다. 누룽지 쌀빵 옆으로 존재 자체로 힘이 되어주는 당신이 좋아하는 빵 종류가 있었다. 덕분에 당신들을 생각하는 마음만큼 풍성한 빵은 흰 봉투에 담겨 나에게로 흘러왔다. 곁에 챙겨 줄 수 있는 누군가 있다는 것이 부럽다는 친구의 말처럼 누군가에겐 부러움의 대상이 되는 당신들, 어느덧 서로를 챙기는 것이 익숙해진 우리들, 세상엔 영원한 것은 없다지만 설령 사는 게 바쁘다는 이유로 서로에게 잠시 소홀해진다 하더라도 서로를 향한 마음만큼은 영원히 벗겨지지 않는 자연스레 제 몸의 일부처럼 박여 단단해진 굳은살이 되었으면 좋겠다, 어떤 파도에도 휩쓸리지 않았으면 좋겠다. 이렇게 오래도록 익숙해진 당신들과 영원히 함께하고 싶다.

# 아름다운 이별

당신이 나에게 준 사랑은 화려함보단 수수함을 지니고 있었다. 어떠한 조건 이전에 소탈함이 배어있는 사랑이었다. 식습관, 생활환경 등 모든 것이 다른 우리는 각기 다른 원색을 지니고 있었으나, 서로 다른 원색이 가지런히 담겨 있는 구슬처럼 각기 다른 원색을 지니고 있던 우리는 하나가 되어 하나의 색인 듯 조화롭게 빛내고 있다.

누구에게나 이별은 예고 없이 찾아온다지만, 우리 또한 이별을 피해 가지 못했다. 우리가 품은 색이 각자의 원색으로 돌아갔을 땐 애석하게도 우리의 아픔은 우리 둘만이 헤아릴 수 있기에 어느 누구에게도 위로를 구하지 않은 채 흔적을 지워나갔다. 인스타그램을 열었다. 아직 미처 지우지 못한 우리들의 추억을 보며 눈물은 남몰래 내 뺨을 훔쳤고, 우리의 추억 또한 훔쳤다. 머지않아 빈 여백이 된 당신의 창을 바라보며 여백이 될 때까지 지우고 또 지워냈을 당신의 마음을 보며 건네지 못할 위로를 건네어 본다. 조화롭게 빛나던 우리의 시절을 바라보며 그 빛이 참 따뜻했기에 때론 누군가와 손, 발이 저릿해 질만큼 있는 힘껏 사랑을 나누고, 그러다 간질간질한 사랑을 나눌 수 있는 마음이 내 곁에 녹아내렸다며 고맙다는 닿지 못할 인사를 건네어 본다.

# 영원히 기억될 수 있는
# 이별도 있습니다

헤어짐이란 몇 번을 겪어도 생소한 듯 익숙하지 않다. 그것은 사람도, 동물도 마찬가지였다.

내가 앉아있으면 내 다리에 턱을 괴고 큰 숨을 내쉬던 너, 어느샌가 쓰다듬어 달라며 그 뭉툭한 젤리 발바닥으로 내 팔을 긁어대던 너였어. 촉촉한 콧방울에서 물방울을 튕기며 그렁그렁 코를 고는 네 모습을 보며 어쩔 땐 사람보다 더 사람 같기도 했어. 어릴 땐 목줄이 끊어진 검은 개에게 공격당한 적이 있어서 개나, 강아지, 네발로 다니는 동물과는 친해질 수 없다고 생각했었지만, 누군가 너에 관해서 물어보면 가족이라며 떠들어 대기 일쑤였어. 15년 전 빨간 패딩 안에서 고개만 빼꼼 내밀며 반겨준 첫 만남, 연갈색의 맑고 또렷한 눈망울, 마치 어제 일처럼 하나의 흐트러짐 없이 선명해. 조금만 움직여도, 어딜 가나 예의주시하며 자석처럼 쪼르르 따라오던 너는 적어도 내가 아는 생명체 중에서 가장 순수했어. 겁이 많던 너는 늘 짖음으로 표현하고 했는데, 그땐 그만 짖으라며 다그치곤 했었지. 이젠 정신을 혼미하게 했던 너의 짖는 소리는 그리움으로 남게 되었지만 말이야. 네가 문득문득 그리워 괜스레 너를 기억할 수 있는 유일한 핸드폰을 열어보곤 해. 그럴 때면 너의 모든 기억들이 작디작은 핸드폰 속에서 우수수 발견되곤 하지.

오늘은 푸르스름해진 저녁 길 위를 걸었어. 도로를 꽉 메우고 있는 자동차의 불빛, 밝은 가로등으로 인해 곳곳에 떠다니던 짙은 구름은 흐려진 듯 자취를 감춘 듯한 것도 잠시 이내 여전히 같은 곳에 머물러 있는 구름을 발견하곤 했어. 나의 까밍아, 이젠 더 이상 반겨주는 너도, 머리가 울릴 정도로 짖던 너의 소리도, 공원을 빠르게 달릴 필요도 없겠지만 너와 함께 했던 자리는 한결같이 같은 곳에 머물러 있는 구름처럼 언제까지나 지키고 있을게, 너와의 기억을 영원히 간직하고 있을게.

# 우리의 끝은 또 다른 시작

때론 우리는 모든 게 완벽하길 바라기에, 우리에게 부족한 것이나, 잘하지 못한다고 느끼는 것을 숨기기 급급하기도 합니다. 그래서 타인에게 관대했던 것들이 우리에게만큼은 날카로운 칼날을 세우며 매섭게 몰아세우기도 합니다. 칼날을 뭉뚝하게 만드는 법을 모르는 것은 아닐 텐데 말입니다. 저 또한 그랬습니다. 아니 여전히 무언가를 숨기기에 급급할지도 모르겠습니다. 저는 무언가를 언어로 만들어 표현할 때, 살갑거나 정감 있게 표현하는 법이 참으로 어려운 사람 중 한 사람입니다. 한마디로 여러 말들을 구슬리는 것이 힘이 들곤 합니다. 그렇기에 한 사람과 관계를 이어 나갈 땐 꽤 오랜 시간이 걸리기도 하며, 제 마음과 표정은 뜻대로 따라주지 않기도 하여 무뚝뚝하다거나, 영혼이 없다는 여러 오해를 초래하기도 합니다.

세상에는 말로 뱉어내는 언어뿐 아니라 검고 얇은 선을 따라 천차만별로 표현되는 언어도 있다는 것이 참으로 다행이라는 생각이 드는 반면, 한편으론 뱉어냄과 동시에 공중으로 흩어지는 언어와는 달리 글을 쓴다는 것은 검고 얇은 선들이 모여 오랫동안 간직됨과 동시에 누군가에게 보인다는 것은 두렵기도 했습니다. 또한, 그 실오라기 같은 선들은 우리에게 수만 가지의 다양성으로 새겨진다는 것이 무섭기도 했습니다. 그러나 이번 책을 통해 한 자 한 자 써 내려갈 때마다 몽글몽글 따뜻한 것들, 생각지도 않던 복잡한 감정들, 한 뭉치가 되어 어둠속을 배회하고 떠돌아다니던 것들을 발견할 때면 그동안 저 스스로 잘하지 못한다고 느꼈던 것들에 대해 오로지 저만의 방식으로 하나의 선들을 구슬리며 표현했습니다. 이 얇은 선들의 끝엔 누군가는 부러워하기도, 신기하게 보기도, 대단하다며 말하기도 했습니다만, 저는 이 책을 읽은 모든 이들에게 무언가를 완벽하게 내보이며 숨기기보단 때론 우리를 향해 겨냥된 칼날이 뭉뚝해지길 바라겠습니다. 우리는 그저 세상에서 하나뿐인 존재니까요.

이곳저곳 천천히 거닐며 부스러지는 바람을 느낄 수 있는 여름의 계절을 빌리며, -세윤

여름의 이름은 추억

157 여름의 이름은 추억

여름의 이름은 추억